L'ÉPÉE DES PUISSANTS

© Éditions Nathan (Paris, France), 2009
Loi n° 49956 du 16 juillet 1949
sur les publications destinées à la jeunesse
ISBN 978-2-09-252084-0

L'ÉPÉE
DES PUISSANTS

Pierre Davy

Nathan

La Croix des pauvres

Hiver 1096, Mathieu Boveret est un serf fugitif. Le hasard l'oblige à s'enrôler dans une troupe de brigands commandés par Thibault de Cercy, un chevalier déchu marqué d'une cicatrice en forme de croix à la joue gauche. Il s'y lie d'amitié avec le Borgne, ancien bûcheron devenu bandit.

Le pape Urbain II tente de convaincre les grands seigneurs chrétiens d'aller délivrer Jérusalem des mahométans. Pierre l'Ermite et d'autres moines prêcheurs persuadent une multitude de « pauvres gens » de se lancer dans l'aventure. Aussi, confiants dans la promesse que tous leurs crimes leur seront ainsi pardonnés, les brigands de Cercy se font pèlerins.

Pendant le long et périlleux trajet qui mène vers Constantinople, Mathieu apprend beaucoup de Tersissius, un vieux moine qui a déjà fait le pèlerinage de Jérusalem. Il tombe amoureux de Madeleine, une jeune bergère aux yeux verts, et son courage lui vaut de devenir l'écuyer de Thibault de Cercy.

En juillet 1096, les « pauvres gens » atteignent enfin les murs de Constantinople. Pour se débarrasser de ces miséreux que la faim transforme en pillards, le basileus, empereur de Byzance, les fait déplacer au-delà du Bosphore, en territoire turc.

Lors d'une première bataille, la majorité des hommes en armes est décimée par les guerriers du sultan Kilij Arslan. Thibault de Cercy, blessé mortellement, lègue son nom, son titre et son passé à son écuyer. Mathieu Boveret, le serf, le brigand, est désormais chevalier. Un grand seigneur, Turpin d'Étampes, se porte garant de la substitution.

Quelques jours plus tard, la grande foule des pèlerins désarmés est massacrée dans le camp de Civitot, près de Nicée. Madeleine, ainsi que beaucoup de femmes et d'enfants, est enlevée par les Turcs.

Le nouveau Thibault de Cercy et son compagnon le Borgne font partie des rares survivants qui parviennent à regagner Constantinople. Thibault y retrouve le moine Tersissius et attend avec impatience l'arrivée de la croisade des grands barons qui s'est enfin mise en marche.

CHAPITRE I

L'été de l'an 1096 s'achève. La canicule qui chauffait à blanc les murs et les pavés de Constantinople a enfin eu pitié de ses habitants. Des nuées d'orage de plus en plus lourdes envahissent le ciel, mais se refusent encore à accorder la moindre goutte de pluie. L'aube de ce premier jour de septembre commence à peine à poindre, pourtant Thibault de Cercy n'a pas pu demeurer plus longtemps dans la moiteur de sa chambre ; il est venu s'allonger à même les dalles fraîches de l'atrium, au bord du bassin.

Voilà bientôt six mois qu'il coule une vie oisive et sans souci matériel, dans le confort de la maison du prélat byzantin Michel Cekarios, premier conseiller du patriarche de Constantinople. Il doit cette hospitalité à l'amitié qui lie ce religieux schismatique au père Tersissius, ce curieux moine bénédictin qui, dès le début de la croisade, a pris Thibault sous sa protection et son autorité.

Le jeune homme, les yeux clos, laisse les images de son récent passé défiler sous ses paupières. La longue marche des premiers croisés, au long de la rive du Danube, alors qu'il n'était encore que Mathieu Boveret, fils de serf et meneur de bœufs. L'anéantissement de la croisade des gueux dans les sables de Civitot, en pays turc. La mort du chevalier de Cercy, qui lui a légué son nom, son rang et son destin. Et, encore et toujours, le mince visage et la chevelure de braise de Madeleine, enlevée, disparue dans les profondeurs des terres du Levant. Et maintenant, cette attente, cette indécision.

Un choc au niveau de la hanche le tire de sa rêverie. Le père Tersissius se dresse au-dessus de lui et le bouscule du bout de sa savate.

– Lève-toi, chevalier ! La fortune ne favorise que les gens qui vivent leur rêve, pas ceux qui rêvent leur vie. Debout !

Le vieux moine porte toujours sa robe de bure et sa barbe grise, à ceci près que la première est fraîchement lavée et la seconde taillée au carré, à la mode byzantine. Il saisit Thibault sous le bras et l'entraîne dans une de ses marches autour du bassin qui, selon lui, favorise la réflexion.

– Qu'est-ce qui te chagrine, mon fils ? La vie que tu mènes ne te convient-elle pas ?

– Non, mon père, elle ne me convient pas.

– Je te trouve bien difficile. Tu parles le grec de manière fort honorable et tu gribouilles passablement le latin. Je connais peu de chevaliers capables d'un tel exploit.

– Justement, suis-je un chevalier ou un clerc frotté de latin ?

– Aux dernières nouvelles, tu es chevalier, par la grâce de Dieu. C'est bien ainsi qu'on te considère en ville. À propos, je me suis laissé dire qu'en compagnie du petit-neveu de mon ami Cekarios tu fréquentais d'autres lieux que l'église Sainte-Sophie et que certaines demoiselles byzantines trouvaient ton accent barbare particulièrement séduisant.

– Je vous en prie ! Vous savez bien…

– Oui, je sais. Il paraît que la peau des jeunes filles rousses a un parfum inoubliable. Que veux-tu au juste ?

– J'ai été serf, puis brigand. La croisade a fait de moi un chevalier. Alors, je veux honorer la croix que je porte.

Tersissius marque un arrêt dans sa marche, fait demi-tour et repart en sens inverse.

– Bien, bien, bien ! Tu veux en découdre avec les mahométans qui t'ont volé ta donzelle aux yeux de chat ? Tu ne vas pas tarder à en avoir l'occasion. Tu connais les nouvelles ?

– Non.

– Évidemment ! L'envoyé du Saint-Père Urbain le deuxième a débarqué avant-hier d'un bateau vénitien. Il était porteur d'un message secret pour le basileus. Mais à Constantinople, tout se sait pour qui cherche à savoir. Le duc de Basse-Lorraine, Godefroi de Bouillon, descend le Danube avec cinq mille chevaliers et hommes d'armes. Il est actuellement à la frontière bulgare. Les Bulgares, tu te souviens ?

– Oui, mon père, je me souviens.

– Raymond de Toulouse et Robert de Normandie arrivent par la mer avec autant de lances. Ils sont quelque part au large des côtes de la Grèce. La croisade des pauvres gens s'est achevée misérablement, la croisade des nobles hommes approche. Tu y auras ta place, Thibault, puisque tu tiens tant à te servir de ton épée.

Le jeune homme donne un coup de pied rageur dans une rose fanée tombée près du bassin.

– Quand seront-ils à Constantinople ?

– Dans les premiers jours du printemps, probablement.

– Et en attendant ?

Le père Tersissius se laisse choir sur un banc et, d'un geste désespéré, lève les bras au ciel.

– En attendant, tu peux satisfaire tes instincts sanguinaires, si tu le désires. Thibault de Cercy avait plus ou moins fait allégeance à Turpin d'Étampes, non ?

– C'est vrai.

– Alors, va le retrouver. Le basileus lui a confié une mission digne d'un seigneur croisé.

– Quelle mission ?

– Il te l'expliquera lui-même. Tu n'es qu'un Auvergnat inculte, et rien n'y pourra changer.

Le soir même, c'est à cheval et l'épée au côté que Thibault se présente dans le casernement qui abrite les soudards rescapés du massacre de Civitot. Il a juste le temps de mettre pied à terre avant que le Borgne, ci-devant bûcheron, brigand et croisé, ne se rue sur lui et ne le serre à l'étouffer dans ses bras.

– Mathieu ! Pardon… Thibault ! Te voilà enfin. Les mauvaises langues disaient que tu nous avais oubliés pour devenir un damoiseau byzantin. J'en ai cogné plus d'un pour avoir dit ça.

– Où est Turpin ?

– Au palais du basileus. Il ne va pas tarder à revenir. On part en expédition demain matin. Viens.

Sur les pas du Borgne, Thibault pénètre dans une des pièces du corps de garde. Ils sont là, une dizaine de soldats que, malgré leur équipement byzantin, le jeune homme reconnaît immédiatement : les survivants des Compagnons de la Sainte Croix, ses frères en brigandage d'il y a bien longtemps. Une fraternité ineffaçable puisque, comme eux, il porte sur son avant-bras la marque en forme de croix qui, là-bas en Bourgogne, leur valait la potence jusqu'à ce qu'ils se fassent croisés du Christ.

– Compagnons ! crie le Borgne. Thibault, Thibault de Cercy est de nouveau avec nous.

Les malandrins tirent leurs armes des fourreaux et les brandissent en l'air.

– Vive Thibault ! Vive notre vrai chef !

Le calme revient peu à peu et le chevalier peut prendre la parole :

– Compagnons ! Vous savez aussi bien que moi que je ne suis pas Thibault de Cercy, mais Mathieu Boveret, ancien serf et toucheur de bœufs. Mais regardez-moi ! Est-ce que vous voyez sur mon visage la cicatrice dont il était marqué ? Je ne peux pas...

– Par tous les diables ! s'exclame le Borgne. Là-bas, dans le désert, quand le sable buvait son sang,

Thibault t'a donné son épée et son nom. J'en suis témoin et eux tous le sont aussi. Tu es Thibault !

– Non !

– Tenez-le, sacredieu !

Trois hommes se précipitent sur le jeune homme, lui maintenant bras et jambes. Le Borgne s'approche de lui, sa dague à la main, et d'un geste fulgurant lui entame la joue de deux sillons en croix.

– Maintenant, tu es Thibault de Cercy. Thibault le balafré, notre chef et notre frère.

Les vivats des Compagnons ne parviennent pas à couvrir les cris de colère de leur victime qui se débat comme un forcené sous leur poigne.

– Je te tuerai pour avoir fait ça, le Borgne ! Dieu m'est témoin, je te tuerai.

– Quand tu voudras, messire ; je ne me défendrai pas. En attendant…

L'homme arrache une des manches de sa chemise et, avec une délicatesse et une tendresse étonnantes pour ses mains de brute, il étanche le sang qui coule de la blessure.

– Lâchez-le, dit-il. Si tu veux me tuer, vas-y. Tout de suite.

La fureur de Thibault tombe d'un coup. Plutôt que de porter la main à son épée, il la tend pour saisir le chiffon ensanglanté et le presser contre son visage, avant de s'asseoir sur un banc contre le mur. Alignés face à lui, les soudards le regardent anxieusement, mal à l'aise, ne sachant quelle posture adopter.

– C'est bon, dit-il. Je suis Thibault de Cercy et je suis votre chef ; mais, pour moi, cela n'a aucun sens.

– On t'apprendra, affirme le Borgne avec un large sourire. On t'apprendra.

Turpin d'Étampes n'a pas posé de questions en voyant la balafre dont le sang suintait encore et tachait le col de Thibault. Il a même feint de ne point la remarquer.

– Je viens mettre mon épée à votre service, messire, déclare le jeune chevalier.

– Je l'accepte de tout cœur. Elle nous sera d'un grand secours, tant notre tâche est rude.

– Quelle tâche ?

– Je vois que les charmes de Byzance t'ont un peu tenu à l'écart des dures réalités.

– C'est pour réparer cela que je suis ici.

– Fort bien. Voilà : notre croisade, celle de Gautier Sans Avoir et de Pierre l'Ermite, a été suivie un mois plus tard par des pèlerins d'un autre genre. Ils se disaient croisés et n'étaient en fait que des pillards, commandés par quelques seigneurs germains qui sont la honte de la chevalerie. La majeure partie a été massacrée par les troupes du roi de Hongrie. Cependant, plusieurs centaines sont parvenues aux alentours de Constantinople, où ils répandent la terreur.

– L'armée du basileus ne les pourchasse pas ?

– Les soldats byzantins sont entraînés pour la guerre, pour les batailles rangées contre d'autres armées, pas pour faire la chasse aux bandits. Ceux-là sont devenus des chiens enragés. Ici, on les appelle les « Tafurs ». Je ne sais pas ce que signifie exactement ce mot, mais il est synonyme de monstre ou d'ogre. Ils ont voué leur âme au diable et n'hésitent pas à manger de la chair humaine.

Thibault passe plusieurs fois sa main sur ses yeux comme pour en chasser une vision.

– Je comprends, dit-il. On nous a confié la tâche de les pourchasser, parce que, après le massacre de Civitot, nous, les survivants, avons été à deux doigts d'agir comme eux. En les tuant, nous nous purifions : c'est cela ?

– Peut-être.

CHAPITRE II

Les cinquante hommes commandés par Turpin d'Étampes ont quitté Constantinople aux premières lueurs de l'aube et, pendant trois jours, ont chevauché vers le nord, en longeant le rivage de la mer Noire. Dans chaque bourgade, dans chaque village de pêcheurs traversé, le spectacle était le même, hallucinant : maisons calcinées, barques éventrées et coulées, et partout des cadavres d'hommes, de femmes et d'enfants en putréfaction, sans sépulture et horriblement mutilés. Même les chiens avaient été abattus.

Lorsqu'il se trouvait quelque survivant, à demi fou de douleur et de terreur, il ne savait que montrer le nord en gémissant : « Les Tafurs, les Tafurs ! »

La petite troupe poursuit sa chevauchée. Encadré par les dix anciens Compagnons de la Sainte Croix, Thibault a bien du mal à déterminer s'il est leur chef ou leur captif, en dépit des marques de respect qu'ils lui portent – le Borgne en particulier.

Le troisième jour, en fin d'après-midi, ils font halte dans un hameau où les masures brûlent encore et où le sang répandu n'a pas eu le temps de noircir au soleil. Le Borgne et quelques hommes envoyés en éclaireurs reviennent bientôt.

– Ils ont installé leur campement dans une crique à moins d'une lieue d'ici.

– Combien sont-ils ?

– Guère plus nombreux que nous, mais beaucoup tiennent à peine debout tellement ils sont ivres. La sentinelle qu'ils ont postée sur le sentier dormait comme une bûche. On s'est bien gardés de la réveiller.

– C'est bon, décide Turpin. Nous attendrons la nuit, elle devrait être suffisamment claire. Laissez ici, avec les chevaux, tout ce qui peut luire ou faire du bruit. Ni cotte de mailles, ni casque, ni bouclier. Épieux et coutelas, c'est tout. Nous encerclerons la crique : approchez en rampant et, à mon signal, tuez tout ce qui respire, éveillé ou non. Pour éviter de vous entre-tuer, nouez un chiffon blanc sur votre tête au moment de l'attaque.

Thibault, stupéfait, regarde le chevalier. Il ne reconnaît plus l'élégant seigneur qu'il a vu charger les Turcs de Civitot, lance au poing, comme dans un tournoi.

– Est-ce ainsi qu'on fait la guerre, messire ?

– Nous ne faisons pas la guerre, mon ami. Nous sommes à la chasse aux loups. Non pour notre plaisir, mais pour éliminer des animaux nuisibles.

Thibault n'a pas osé dire au seigneur d'Étampes qu'il n'a jamais chassé, ni le loup ni quelque autre gibier, puisque tout serf pris en flagrant délit du moindre braconnage risquait la corde au premier chêne venu. Pourtant, alors qu'avec ses compagnons il se glisse en silence vers la proie, il sent monter en lui une exaltation plus forte encore que celle des combats.

Précédé du Borgne qui lui trace la voie et suivi d'un Compagnon qui, à l'évidence, a mission de veiller sur lui, il avance. Un éclat de lune entre deux nuages lui permet d'apercevoir la sentinelle des Tafurs passer sans un cri du petit au grand sommeil.

La végétation s'éclaircit. Le ressac murmure sur les galets de la crique. Autour de trois ou quatre feux encore brasillants, des corps allongés, grognant dans leur ivresse. L'un d'eux se dresse, titube jusqu'à l'eau pour s'y soulager bruyamment, puis revient s'effondrer à sa place.

Et soudain, lancé par Turpin, c'est bien un cri de chasse et non de guerre qui retentit.

– Taïaut ! Taïaut !

Alors, dans le clair-obscur intermittent de la lune, c'est la ruée, la curée sur des êtres hébétés dont très peu ont le temps de se défendre. Puis c'est la battue impitoyable sur ceux qui tentent de s'enfuir. Hors de lui, Thibault se surprend à poursuivre dans l'eau l'un des pillards qui essaient de s'échapper à la nage.

Il faut que Turpin sonne à plusieurs reprises dans sa corne de chasse pour que ses hommes se résignent à quitter le champ de massacre.

Au matin, Thibault se réveille tard, avec dans la bouche le goût amer d'un lendemain d'orgie où on a perdu le contrôle de soi-même. Alors qu'il sort de la grange qui lui a servi d'abri, il voit le Borgne et quelques Compagnons revenir au hameau. Chacun porte une hache à la main.

– D'où venez-vous ?

Le Borgne fait un geste vague vers le nord, en direction du lieu du carnage de la veille.

– Ordre de messire Turpin ! On a d'abord compté les cadavres : trente-huit, c'est pas mal. Après, on a… on a coupé les têtes.

– Coupé les têtes !

– Oui, comme sur la plage du pays turc, là où les

mahométans ont enlevé ta damoiselle. Sauf que cette fois ils étaient déjà morts.

– Mais pourquoi avez-vous fait ça ?

– Je ne sais pas ; il semble que ce soit une habitude par ici.

Dès qu'il l'a pu, le jeune homme a questionné le sire d'Étampes.

– Écoute, Thibault, la seule manière de nous débarrasser de cette vermine, c'est de nous comporter comme elle. Il faut les harceler, les terroriser ; que leur peur soit aussi forte que celle qu'ils inspirent.

– Peut-être, mais il n'est pas nécessaire pour cela de trancher le cou à des cadavres.

– Si ! Ton père Tersissius t'expliquera ces choses mieux que moi. En attendant, tu veux que je te donne une raison qui justifie mon ordre ?

– J'aimerais bien.

– Le Borgne est plus délicat que je ne le pensais. Il ne t'a pas dit que dans une marmite où il y avait des restes de soupe, il a trouvé des mains d'enfants…

La campagne de chasse aux Tafurs s'est poursuivie pendant deux mois. Jamais de vraies batailles. Chaque fois une traque obstinée sur les traces d'un gibier qui s'affolait et errait à l'aveugle dans les campagnes, dévastant tout sur son passage. Puis l'affût patient et silencieux, tout en laissant l'ennemi se repaître de ses victimes. Enfin, l'assaut et le carnage.

Sitôt de retour à Constantinople, Thibault vient confier son trouble au moine bénédictin. Il le trouve, marchant à pas comptés, selon son habitude, dans la fraîcheur de l'atrium de Cekarios.

– Mon père, je ne comprends plus. Comment la croisade a-t-elle pu engendrer de tels monstres ?

– Toutes les causes, y compris les plus respectables, ont leur ombre, vois-tu. Tous les pèlerins ne sont point de saints hommes.

– Je le sais bien. Thibault de Cercy, le Borgne et moi-même n'étions croisés que par nécessité. Beaucoup, comme nous, n'avaient de pèlerin que la croix cousue sur leur bliaud. Nous ne sommes pas des criminels pour autant, bien qu'il nous ait fallu tuer pour nous défendre.

– Tu as raison, et je suis heureux de t'entendre ainsi raisonner. Mais tu peux faire mieux encore.

– Je vous écoute.

– Tu m'as dit un jour, alors que nous n'avions pas encore atteint le Danube : « Tous ces gens qui marchent vers ils ne savent quoi, ce n'est pas normal. » C'était exact : nous n'étions plus nous-mêmes. Beaucoup sont morts en martyrs, parce qu'ils voyaient le ciel s'ouvrir pour eux. Certains ont cru que la fatalité qui les enchaînait à leur sort misérable pouvait lâcher prise : ils sont devenus autres. Tu es de ceux-là. Quelques-uns ont été pris de folie. Parce que dans un tel désordre, dans une telle confusion, tout était possible. Les Tafurs ont tout bonnement perdu la raison.

– On peut être pillard, voleur, bandit, sans être fou.

– C'est vrai. Mais ce que tu ne sais pas, et ce que Turpin d'Étampes ne t'a pas dit, c'est que parmi les Tafurs il y a des religieux, des moines et des prêtres qui ont vu dans la croisade une apocalypse. L'apocalypse, tu sais ce que cela signifie, ignorant ?

– Oui, mon père : la fin du monde, le Jugement dernier, et la résurrection des corps.

– Bravo. J'observe que mes leçons n'ont pas été inutiles. Au jour du Jugement dernier, il y aura foule aux portes du paradis. Ceux qui s'y présenteront diminués de leur tête, de leurs membres n'y auront point accès. Voilà pourquoi les mains des petits enfants cuisaient dans la soupe des Tafurs et pourquoi leurs cadavres ont été décapités.

Effrayé, Thibault regarde le moine.

– Mais, mon père, vous ne croyez pas à tout cela !

– Non.

– Alors, qu'êtes-vous venu faire en Terre sainte ?

– Je suis venu y apprendre la philosophie et y perdre la foi.

Le jeune homme porte ses mains à son front et crie :

– Mais moi, moi ! Qu'est-ce que je fais ici ?

D'un geste paternel qui ne lui est pas familier, le moine le prend dans ses bras.

– Bientôt, Godefroi de Bouillon et d'autres grands seigneurs parviendront sous les murs de Constantinople. Ils iront courir sus aux Turcs ; Turpin d'Étampes se joindra à eux et tu le suivras. Avec eux, tu vas faire la chose la plus commune, la plus simple du monde : la guerre.

Tersissius s'écarte d'un pas en examinant attentivement le visage de son compagnon.

– Voilà qui est curieux, s'exclaffe-t-il, ta balafre !

– Quoi, ma balafre ?

– Le Borgne s'est trompé de joue. Je jurerais que le chevalier de Cercy était marqué sur la joue gauche. Toi, c'est à droite.

– Tant mieux. Je ne serai jamais le vrai chevalier de Cercy.

Le moine hausse les épaules.

– Personne n'a jamais prétendu cela. Attends-moi une minute.

Il pénètre dans la maison, et en ressort aussitôt, tenant un miroir d'argent poli à la main.

– Dis-moi, le visage que tu vois dans le miroir est marqué sur quelle joue ?

– La gauche, évidemment, puisque c'est mon reflet et que...

– Eh bien, voilà ! Celui qui s'obstine à demeurer Mathieu Boveret porte une croix sur la joue droite. Il regarde son reflet, et que voit-il ? Un homme portant une croix sur la joue gauche : Thibault de Cercy. Il y aurait beaucoup à dire sur la philosophie des miroirs.

– Vous êtes pire que le diable, mon père !

– Tu me flattes, mon ami. Il n'y a que Dieu qui soit pire que le diable.

CHAPITRE III

L'an 1097 après la nativité de Notre-Seigneur débute à peine. Un vent frais court sur Constantinople, chassant les nuages et les pluies. La ville est quasi déserte. Ses habitants, abandonnant occupations et demeures, se sont massés sur les remparts. Parmi eux, au coude à coude avec le Borgne et le père Tersissius, Thibault de Cercy regarde de tous ses yeux, aussi impressionné que s'il était encore Mathieu Boveret le manant.

La croisade des seigneurs chrétiens, barons d'Occident, est là et se répand sur la plaine. Une multitude de chevaux caparaçonnés, une forêt de lances. Un grouillement d'hommes à pied. Les casques et les hauberts, les écus et les armes miroitent au soleil. Les étendards, les gonfalons flottent dans le vent qui disperse au loin la poussière soulevée.

Comme à la parade, les chevaliers font caracoler leurs montures ; les font voleter, piaffer et s'élancer dans des simulacres de charges. Les fantassins avancent en groupes compacts, hallebardes étincelantes dans le soleil. Ainsi que les battements d'un cœur énorme, les glaives frappant les boucliers rythment la marche.

Fasciné, Thibault s'emplit les yeux de ce spectacle, incapable d'exprimer l'émotion qui le submerge. C'est le Borgne, à ses côtés, qui retrouve le premier l'usage de la parole :

– Sacredieu ! Les mahométans n'ont plus qu'à dire leurs dernières prières. Regardez ! Mais regardez ! Qu'est-ce que nous étions, pauvres de nous, comparés à ça ?

Thibault se tourne vers le moine.

– Dites, mon père, Dieu a-t-il besoin d'une telle armée pour soutenir sa cause ?

– Je crains que la cause de Dieu ne soit pas la préoccupation première de tous ces nobles guerriers. C'est difficile à dire : il n'y a rien tant qu'une épée pour ressembler à une croix. Tout dépend de la manière dont on la tient. Certains, comme le duc Godefroi, sont sincères. Les autres…

– Que veulent-ils, alors ?

– Se tailler, à grands coups de lance, des comtés, des principautés et, pourquoi pas, un royaume. Les déserts de Palestine cachent des trésors. Et toi, petit chevalier de Cercy, tu auras ta part.

– Est-ce mal de les suivre ?

– Certes non. Tu as un destin, comme moi j'ai le mien. Et même cet affreux individu, ajoute le moine en désignant le Borgne, en a un. Il faut accepter le destin, quitte à le provoquer.

– Vous êtes bien amer. Êtes-vous malheureux ?

– Non. Je suis vieux, voilà tout. Mais, assez philosophé ! Regarde. Cela en vaut la peine.

La cohue est toujours indéchiffrable, mais déjà, à proximité du rivage du Bosphore, s'élèvent plusieurs dizaines de pavillons de toile, surmontés d'oriflammes flamboyantes.

– Tu vois, plaisante Tersissius, le basileus et ses prédécesseurs règnent sur Constantinople, leur capitale depuis des siècles, et Godefroi de Bouillon construit la sienne en tissu. Il va falloir négocier pour savoir lequel a le plus besoin de l'autre. Ah! Les voilà.

Sur plusieurs rangs, une vingtaine de cavaliers s'approche de la grand-porte. Les nobles hommes sont nu-tête et, sur leurs cottes de mailles, ils ont revêtu de longues chasubles ouvragées, marquées sur la poitrine d'une croix pourpre. À leurs côtés chevauchent des hommes d'armes, portant haut leurs bannières. En tête s'avancent deux hérauts munis de longues trompes qu'ils font sonner à intervalles réguliers.

– Mordieu ! s'exclame le Borgne. Il fallait que je vienne chez les païens pour voir ça !

Tersissius met la main en visière à son front, et il énumère :

– Godefroi, duc de Basse-Lorraine, son frère Baudouin de Boulogne, Raymond, comte de Toulouse, Étienne de Blois, Robert, duc de Normandie, le brave Tancrède, Normand de Sicile, et son oncle Bohémond.

– Comment les reconnaissez-vous ? Les avez-vous déjà vus ?

– Non, mais un écu n'est pas qu'un simple bouclier. Certains en disent long sur l'identité de ceux qui les portent. Il faudra que tu apprennes cela avant de posséder le tien.

Trompettes sonnantes, étendards flottant dans le vent, le cortège franchit la double muraille de la ville pour s'engager dans la voie qui pénètre au cœur de la cité, longe l'antique aqueduc et, après avoir traversé le forum de Théodose, aboutit au palais du basileus, dont les jardins dominent la mer de Marmara.

La foule agglutinée sur l'enceinte extérieure la quitte pour se masser sur le second mur et suivre des yeux la cavalcade.

– Laissons-les se distraire, dit le moine. Les

pourparlers risquent de durer des jours, sinon des semaines, et les spectateurs se lasseront.

– Pourquoi est-ce que ce serait aussi compliqué ? s'étonne Thibault. Les Byzantins et les croisés sont alliés contre les Turcs, non ?

– Justement. Les croisés ont besoin des Byzantins pour leur faire traverser le Bosphore et assurer leur ravitaillement le plus longtemps possible. Les Byzantins ont besoin des croisés pour récupérer leurs terres du Levant volées par les Turcs. Alexis Comnène, le basileus, est un fin négociateur.

– Et Godefroi de Bouillon ?

– Ah, Godefroi ! De l'avis de certains, c'est un bon chrétien, mais il n'aurait pas beaucoup de caractère, ni l'esprit très vif ; ce qui n'est pas le cas de son frère Baudouin, ni des Siciliens. Il me semble que ceux-là ne soient pas disposés à se battre pour le seul avantage d'Alexis Comnène, tout empereur de Byzance qu'il soit. Ils arriveront bien à un arrangement. Tu vas bientôt me quitter, mon fils.

L'arrangement a eu lieu et, dans les premiers jours du mois de mai, l'armée croisée, après avoir traversé le Bosphore sur les nefs byzantines, s'engage vers les terres turques du Levant. Thibault de Cercy et les derniers Compagnons de la Sainte Croix chevauchent sous la bannière de Turpin d'Étampes, qui lui-même s'est rangé sous celle de Baudouin de Boulogne, le frère de Godefroi. Les chevaliers et les soldats qui viennent de rejoindre le baron d'Étampes semblent accorder une forme de respect à ces survivants de la croisade des gueux.

Un religieux montant une mule s'est joint à eux, avec beaucoup de discrétion. À plusieurs reprises, on l'a vu conversant avec l'un ou l'autre des chefs de la croisade. Le Borgne est le premier à réagir.

– Thibault, c'est lui, j'en suis sûr.

– Qui lui ?

– Pierre l'Ermite. Celui qui, au nom du Saint-Sépulcre, a envoyé des milliers de pauvres gens à la mort.

– Tais-toi ! lui intime le chevalier de Cercy. Tu blasphèmes.

– Je blasphème peut-être, mais je dis la vérité. Tu ne vois pas où nous sommes, sacredieu ?

La mémoire du jeune homme s'éveille d'un coup. Cette longue vallée caillouteuse bordée d'herbe rase et sèche. Ce ciel d'un bleu impitoyable où on aimerait tant découvrir un nuage… C'est là ! C'est là que des milliers de miséreux sont tombés sous les flèches des mahométans. C'est là que Gautier Sans Avoir a eu la tête tranchée et que le véritable Thibault de Cercy a dit, en mourant, à Mathieu Boveret : « Je te donne mon nom, je te donne ma vie, je te donne mon tourment. »

Thibault effleure de ses doigts la cicatrice de sa joue qui scelle son destin. Il s'aperçoit alors que ce que foulent les sabots de son cheval ne sont pas que des pierres, mais aussi des ossements déjà blanchis par le soleil du désert.

En ce terrible jour, Pierre l'Ermite, le bon prêcheur, n'était pas là, reparti se mettre en sécurité à Constantinople. Thibault est saisi d'une fureur subite, meurtrière, qui s'éteint aussitôt quand il entend le Borgne grommeler :

– Bah ! Sans lui, nous en serions encore à truander dans les bois de Cercy ou à balancer nos carcasses sous une potence. Vive la croisade !

Lorsque les armées croisées mettent le siège devant Nicée, le sultan Kilij Arslan n'y séjourne pas, car il est occupé à combattre dans le nord un émir turc qui a refusé sa suzeraineté. Cependant, il y a laissé sa femme, son fils et son trésor de guerre. Dès qu'il est averti, il prend la tête de ses cavaliers et les lance dans un galop effréné pour libérer sa ville, sa famille et ses biens. L'émir qu'il combattait se joint à lui pour courir sus aux envahisseurs.

Les croisés se forment en lignes de bataille et attendent la charge avant de s'élancer à leur tour. En avant, les chevaliers ; à l'arrière, les hommes à pied prêts à les suivre et à achever leur besogne.

En deuxième position, secondant les hommes de Baudouin de Boulogne et de Robert de Normandie, Thibault s'impatiente sous le soleil aux côtés de Turpin d'Étampes. À plusieurs reprises, celui-ci a retiré son heaume pour s'éponger le visage. Il est étrangement pâle.

– Êtes-vous souffrant, messire ?

– Je ne saurais me le permettre en cet instant. Mais jamais le soleil turc ne m'a paru aussi cruel.

Comme à Civitot, un an plus tôt, Thibault sent sa gorge s'assécher et les battements de son cœur s'accélérer lorsque, là-bas, les cavaliers mahométans se ruent en avant, capes et turbans blancs flottant au vent de la course.

– Chargez ! hurlent Baudouin et le duc Robert.

Le cri est repris en écho par tous les chevaliers :

– Chargez ! Chargez ! Chargez…

Les lances se pointent, les écus s'ajustent et les lourds destriers s'ébranlent dans un galop puissant.

CHAPITRE IV

Martèlement des sabots de chevaux au galop, cliquetis d'armes, poussière et chaleur. Thibault fait de son mieux pour se maintenir à la hauteur de Turpin. La sueur qui ruisselle de son front lui brouille la vue. La ligne des cavaliers blancs approche en bourrasque.

Soudain, à moins de trois cents pas, elle s'immobilise et, à une cadence inouïe, trois volées de flèches atteignent les croisés. Des cavaliers basculent de leur selle, des chevaux s'effondrent, mais la charge se poursuit.

Pour donner dans le vide. Car, faisant voleter leurs petits chevaux, les Turcs prennent la fuite, distançant aisément leurs poursuivants et, beaucoup plus loin, se reforment en front de bataille.

Difficilement, les croisés se rassemblent pour une deuxième attaque. Alors, Baudouin, dressé sur ses étriers, hurle des ordres qui sont retransmis de rang en rang :

– Ils veulent nous entraîner loin des murs de Nicée et nous décimer peu à peu. Nous allons charger, mais à la prochaine volée de flèches, tournez bride et feignez de fuir : mes hommes vers le nord, ceux de Robert vers le sud. Laissez libre l'accès aux portes de la ville. Ils vont s'y engager comme dans une nasse. Dès que leurs premiers cavaliers seront à vingt pas des murs, chargez les païens de flanc. Que Dieu nous garde !

Et le miracle s'accomplit. Kilij Arslan tombe dans le piège. Attiré par ces portes derrière lesquelles se trouvent sa famille et ses biens, il lance ses cavaliers, cimeterre au poing, en une longue colonne.

Telles les mâchoires d'une énorme pince de fer, la lourde cavalerie franque se referme sur eux.

La mêlée est indescriptible et d'une violence inouïe. Depuis longtemps, Thibault a perdu sa lance dans le corps d'un mahométan. À grands coups d'épée, il se fraie un chemin vers Turpin qui, désarmé, se laisse emporter dans le tourbillon, vacillant sur sa selle. Il le rejoint au moment où le sultan et les Turcs survivants parviennent à échapper au piège et à s'enfuir vers les collines, abandonnant la ville aux conquérants.

Turpin, soutenu par ses hommes, a glissé de sa

selle. Étendu sur le sol, il fait signe à Thibault d'approcher.

– Je vais mourir. Non pas percé d'une lance ou pourfendu d'une épée comme je l'aurais souhaité, mais comme un de mes manants, terrassé d'une vulgaire fièvre. Dieu l'a voulu ainsi ; je ne verrai pas Jérusalem.

Une quinte de toux déchirante interrompt un instant le chevalier. Sa voix s'affaiblit et Thibault doit se pencher vers lui pour l'entendre.

– On va me transporter dans ma tente. Viens m'y rejoindre au coucher du soleil. Ne tarde pas trop, le temps m'est compté.

Lorsque les croisés se regroupent sous les murailles de Nicée, c'est pour constater qu'un petit corps d'armée byzantin les y a précédés, commandé par un général du nom de Takylos. Du haut du rempart, le chef de la garnison turque fait proclamer :

– Nous acceptons de rendre la place, à une condition : seuls les soldats du basileus y pénétreront. Nous restituons Nicée aux Byzantins, pas aux Francs.

– Trahison ! hurle Tancrède de Sicile. Cette ville nous appartient. Nous la prendrons de force s'il le faut !

– Soit, intervient Takylos. Mais il faudra d'abord nous passer sur le corps. Cette ville est à nous.

Le duc Godefroi de Bouillon prend alors la parole :

– J'ai donné ma parole et signé un parchemin. Nicée appartient à l'empereur romain d'Orient. Demain, nous levons le camp. Notre destin n'est pas ici, mais à Jérusalem.

Rageusement, Tancrède et Raymond de Toulouse tournent bride et s'éloignent vers leurs campements, suivis de leurs chevaliers. Thibault, qui se trouve à quelques pas de Baudouin de Boulogne, l'entend dire à Godefroi :

– Bien parlé, mon frère. Nicée est de peu d'importance. Nous trouverons mieux sur la route de la Ville sainte.

Lorsque Thibault entre sous le pavillon de Turpin d'Étampes, il le voit gisant sur un lit de camp. À son chevet, deux de ses chevaliers. La voix du comte n'est plus qu'un murmure. Il fait un geste de la main vers sa bannière fixée à l'armature de la tente. Les trois fleurs de lys sur fond d'azur ont été barrées par un bandeau de tissu blanc, cousu à la hâte.

– Chevalier de Cercy, ce blason est maintenant le tien. Je te reconnais ainsi que mon fils bâtard. Mes chevaliers et mes hommes d'armes en porteront témoignage. Je te les confie, comme je te confie cette bannière. Ils m'ont tous juré sur leur honneur de respecter ma volonté. Donne-moi ta main.

Malgré lui, le jeune homme obéit et parvient à articuler :

– Messire, par pitié ! Cela ne se peut. Ce serait une tromperie. Vous savez qui je suis.

– Tu es Thibault de Cercy, baronnet d'Étampes. Le parchemin par lequel je le certifie est déjà entre les mains du duc Godefroi et de Baudouin son frère, à qui j'ai juré fidélité.

– Pourquoi agissez-vous ainsi ? Pourquoi moi ?

– Tu es en train de naître, Thibault. Peut-être es-tu l'enfant que je n'ai pas su avoir. À présent, va ! Je dois m'arranger de cela avec le Seigneur Dieu.

De bataille en bataille, de siège en siège, la croisade traverse le plateau d'Anatolie. Thibault, maintenant seigneur de vingt lances et d'une centaine d'hommes d'armes, commence à acquérir une réputation de guerrier téméraire, peu économe de sa personne. Chargeant toujours en première ligne des chevaliers, besognant comme un homme du commun sous les murs assiégés. Le Borgne, qui s'est accordé la fonction et le titre d'écuyer, le suit comme son ombre. Il ne cesse de le mettre en garde : « Tu exagères, messire. Un jour, tu vas te faire occire d'un carreau d'arbalète ou d'un coup de masse d'arme. Ce n'est pas digne d'un baronnet, ni même d'un écuyer. Il faut laisser cela à la piétaille. »

Au fil des combats, des longues chevauchées sous le soleil et dans la poussière, des jours de repos auprès des points d'eau, Thibault, sans la quémander, a obtenu la sympathie de Baudouin, le frère du duc de Basse-Lorraine. Cet homme est avant tout un aventurier qui ne s'encombre pas de principes. Un matin, alors que le camp dort encore, il vient s'asseoir aux côtés du jeune homme, sur les ruines d'un muret. Bien que de coutume il feigne de prendre tout à la légère, il est soudain très sérieux.

– Contrairement à ce que croient certains imbéciles prétentieux, l'état de noblesse n'a pas été donné par Dieu. Un de mes ancêtres n'a sans doute été qu'un rustre à qui le destin a offert sa chance. C'est tout simplement ce qui t'arrive. Il faut t'en réjouir. À moins que tu n'aies un autre tourment ?

Et Thibault se confie à ce grand seigneur qui prend le temps de lui prêter attention. Il raconte la fin lamentable de la croisade des pauvres gens. Il tente d'expliquer son attachement à Tersissius, ce vieux moine qui a brisé la gangue d'ignorance dans laquelle végétait sa pensée. Il ose dire son amour pour Madeleine, la bergère aux cheveux de flammes et aux yeux d'eau profonde, enlevée, disparue dans un Orient dont il n'imagine pas l'étendue. Baudouin l'écoute, une lueur d'intérêt dans le regard.

– Je ne vois là rien qui ne soit indigne d'un chevalier. Je te préviens, Thibault de Cercy, baronnet d'Étampes, dans cette aventure, mon chemin ne sera pas celui des autres. Je sais où je vais ; je sais ce que je veux. Je crois plus à mon épée qu'à la croix de ma tunique. Veux-tu me suivre ?

Thibault n'hésite que le temps d'entendre dans sa tête le petit rire sarcastique du père Tersissius.

– Oui, monseigneur, je vous suivrai.

Deux semaines plus tard, sous la chaleur écrasante du mois d'août, la ville de Césarée tombe aux mains des croisés. Une fois encore, le duc Godefroi laisse la place à une garnison byzantine. Il n'a qu'un but : descendre vers le sud pour atteindre Antioche, Tripoli, Tyr, et enfin Jérusalem.

Baudouin de Boulogne réunit ses chevaliers et déclare :

– Je vous donne le choix : plus d'une année de marche et de combats vers le sud pour parvenir sous les murs de la Ville sainte ou deux mois vers l'orient pour atteindre la cité d'Édesse. Elle est sous la domination des Turcs, mais peuplée d'Arméniens, des chrétiens comme nous, qui nous supplient de venir à leur secours. Si nous nous en rendons maîtres, nous infligeons une terrible défaite aux Turcs et nous faisons notre fortune. Que décidez-vous ?

Un long silence s'établit, puis une voix s'élève :

– Si nous nous séparons du gros de la croisade, nous ne pourrons plus attendre aucune aide de nos frères. Peut-on faire confiance aux Arméniens ?

– Ce sont des chrétiens.

– Les Byzantins aussi sont des chrétiens. Il n'empêche que tout ce que nous avons fait jusqu'à maintenant a été pour leur seul bénéfice.

Une rumeur d'approbation court dans les rangs. Aux côtés de Thibault, le Borgne crache par terre, comme chaque fois qu'il a son avis à donner.

– Faudrait s'entendre. On est venus ici pour libérer le tombeau du Christ ou pour secourir les Arméniens ?

– Ni l'un ni l'autre, compagnon. Nous sommes venus ici pour sauver nos têtes.

Le brouhaha cesse lorsque Tancrède, celui que beaucoup surnomment déjà « l'Archange », vient se placer auprès de Baudouin.

– Les Normands de Sicile sont avec toi. Laissons les moutons suivre le troupeau. Marchons sur Édesse et plus loin, plus loin encore, s'il le faut.

Le Borgne donne un coup de coude à Thibault.

– Il a raison. Le Saint-Sépulcre peut attendre. Va savoir si, par là-bas, on ne fera pas fortune et si on ne retrouvera pas ta donzelle aux yeux verts.

CHAPITRE V

Les chevaliers de Baudouin et de Tancrède prennent vite conscience qu'en s'engageant ainsi vers l'intérieur des terres du Levant ils n'ont pas choisi la route la plus aisée. Pour atteindre la riche plaine d'Édesse, il leur faut traverser la chaîne des montagnes du Taurus. La piste s'élève vers des cols dénudés, dominés par des pitons crayeux, pareils à de gigantesques dents cariées. Depuis ces hauteurs, elle plonge dans des gorges où grondent des torrents. Au flanc des parois s'ouvrent des grottes aux gueules menaçantes.

Thibault, comme sans doute la plupart de ses compagnons, se sent saisi d'une angoisse qui lui fait serrer le poing sur la hampe de sa lance. Pour avoir abandonné, sinon trahi la croisade, ne sont-ils pas en train de s'engager en enfer ? Il lui faut toute la lucidité acquise auprès du moine philosophe pour ne pas y croire.

Au fil des jours, la peur est accrue par la faim. En s'écartant du chemin de Jérusalem, les aventuriers ont perdu les approvisionnements en nourriture que leur procuraient les Byzantins. Les chevaliers tentent de faire bonne figure, mais la troupe des hommes à pied proteste de plus en plus ouvertement. Envoyé en avant-garde avec ceux qui se sont rangés sous sa bannière, Thibault vient de franchir à gué un torrent déjà grossi par les premières pluies de l'automne. Alors qu'ils remontent la rive opposée, une cinquantaine de cavaliers leur ferment le passage. Dans les rochers des pentes environnantes, on devine des archers, leurs flèches déjà encochées.

Thibault a vite pris sa décision. Dans un défilé aussi étroit, il sait que le gros des croisés qui le suit ne lui sera d'aucun secours. Au cours des mois précédents, il a appris que dans ce genre d'escarmouche, celui qui prend l'initiative de l'attaque a souvent l'avantage. Il va donner l'ordre de charger quand le Borgne lui empoigne le bras.

– Attends, messire ! Sûr que ces gens-là n'ont pas bonne mine ; pourtant, m'est avis que ce ne sont pas de maudits mahométans. Ils voudraient causer que ça ne m'étonnerait pas.

Ce n'est pas la première fois que Thibault fait confiance à l'instinct du Borgne. Il ordonne d'abaisser les lances. Alors, un cavalier, seul, se sépare des rangs adverses et s'avance. Sa tenue ressemble fort à celle d'un Turc, mais il ne porte pas de turban noué sur son casque. Aucune trace de croissant sur les bannières qui flottent derrière lui. Il tend sa main droite désarmée, en signe de paix.

Thibault confie sa lance à son écuyer et, à son tour, se détache de sa troupe. Bien qu'il y ait là plus de deux cents hommes et chevaux rassemblés, un silence étonnant se fait, qui permet d'entendre le chant profond du torrent. Le cavalier levantin range sa monture aux côtés de celle de Thibault.

– Tu comprends le grec ?

– Quelque peu, oui.

– Je suis Constantin de Gargar, seigneur arménien de ces montagnes. Qui es-tu ?

– Thibault de Cercy, croisé de Dieu, vassal de messire Baudouin de Boulogne, chef de cette armée.

– Et que font les croisés de Dieu si loin de la route de Jérusalem ?

En un éclair, Thibault imagine le père Tersissius répondant à cette question embarrassante.

– Pour des gens qui viennent d'aussi loin que nous, qu'est-ce qu'un si petit détour ?

L'homme feint de se satisfaire de la réponse.

– Il y a parfois des petits détours qui sont plus profitables que de grands voyages.

– Certes… Pourquoi nous faites-vous obstacle ?

– Ce n'est pas notre intention. Tu diras ceci à ton seigneur, en mon nom : le peuple arménien est tout autant chrétien que vous l'êtes. Il souffre de la domination des mahométans. Les hommes encore libres comme mes soldats et moi se font rares ; nous vous aiderons à combattre les Turcs, et nous saurons vous remercier de nous en libérer.

– Quel gage nous donnez-vous de votre loyauté ?

– Nous savons que votre troupe souffre de la faim. Vous devez encore franchir un col élevé avant d'atteindre la plaine d'Édesse. Vous trouverez là-haut des vivres en suffisance et des bêtes de bât pour les transporter. Nous nous reverrons, chevalier.

Le seigneur de Gargar fait volter son cheval et, d'un geste du bras, renvoie ses cavaliers avant de les suivre. En quelques instants, la piste et ses abords sont déserts.

En écoutant le récit de la rencontre que lui fait aussitôt Thibault, Baudouin de Boulogne n'a aucune hésitation :

– Tu as eu raison de lui faire confiance. Il tiendra parole ; du moins si j'en crois les quelques espions arméniens qui me renseignent depuis que nous avons pénétré dans ces montagnes.

– De toute manière, ajoute Tancrède, nous n'avons pas d'autre possibilité que d'aller de l'avant. S'il s'agit d'une embuscade, nous risquons fort de laisser nos os sur ce col, comme il en fut du preux Roland à Roncevaux.

– Et nous aurons beau sonner du cor, conclut Thibault, Charlemagne ne viendra pas pleurer sur nos dépouilles.

Les deux grands seigneurs se lancent un regard étonné, mais ils ont l'élégance de ne pas s'enquérir de l'origine de ce savoir.

– Bien dit, chevalier ! s'écrie Tancrède. Tu es des nôtres.

Sous son heaume, Thibault entend nettement le rire grinçant de son vieux bénédictin.

Lorsque l'avant-garde croisée atteint le col, c'est pour constater que les provisions promises sont bien là, gardées par quelques guerriers arméniens qui se retirent immédiatement. Le Borgne fait rapidement l'inventaire et ne tarde pas à découvrir une vingtaine de grosses amphores emplies de vin.

– Pardieu, s'exclame-t-il, les Arméniens me semblent des gens fort respectables ! Pas vrai, messire ?

– Peut-être… Est-ce que tu trouvais les Byzantins respectables ?

– Pas tellement… vu qu'ils nous laissaient faire le plus dur de la tâche et qu'ils en profitaient.

– C'est bien ce qui risque d'arriver dans ce merveilleux pays d'Édesse. Nous chassons les Turcs, les Arméniens nous remercient, et nous montrent poliment le chemin de Jérusalem.

– Tu raisonnes trop, messire, et ça t'aigrit le caractère. À moins que tu n'aies été ensorcelé par deux yeux de chat. On dit que ces bêtes-là ont été créées par le diable pour…

Thibault a un mouvement brutal pour lever la main sur son écuyer.

– Allons ! s'écrie celui-ci en riant. Les brigands de la forêt de Cercy ont juré de ne jamais se porter tort en paroles ni en actes.

Le geste de violence s'achève par une claque amicale sur l'épaule de l'homme.

– Pardonne-moi, le Borgne. Parfois, il m'arrive d'oublier. Tu es ma conscience.

– Ta conscience ! Je ne vois pas ce que tu veux dire, chevalier.

Après l'éprouvante traversée du Taurus et trois jours de repos sur la rive de l'Euphrate, la plaine d'Édesse se présente aux Francs comme un paradis terrestre. Malgré l'approche de l'hiver, les pâturages, les champs et les vergers dévoilent leurs richesses. Dans les villages et les hameaux, les paysans brandissent des croix et acclament les envoyés du dieu des chrétiens. Toutes les petites villes tombent, les unes après les autres, au pouvoir des croisés. Menacées par la révolte des habitants arméniens, les garnisons turques s'enfuient à l'approche des Francs.

La cité d'Édesse est de tout autre importance. Couronnant une large colline, ses murailles blanches imposent la prudence. Cependant, une prise d'assaut sera nécessaire : c'est l'avis de Tancrède.

– Nous sommes trop peu nombreux pour entreprendre un siège.

– Certes, objecte Baudouin, mais si nous attaquons et prenons la ville, nous y laisserons la moitié de nos hommes.

Deux jours et deux nuits, les croisés piétinent et campent dans la plaine. Leurs chefs ne parviennent pas à s'entendre sur une décision. Là-bas, la cité attend à l'abri de ses murs. Les pelotons de cavaliers envoyés en reconnaissance sont accueillis par des volées de flèches.

La situation paraît sans issue quand, au matin du troisième jour, une troupe d'hommes à cheval, une deuxième, puis une multitude de petits groupes viennent prendre position sur l'aile gauche des Francs. Ils tourbillonnent dans un désordre qui empêche d'évaluer leur nombre exact, mais on ne peut avoir de doute sur leur ardeur guerrière.

– Les Arméniens des montagnes ! s'écrie Tancrède. Je savais qu'ils viendraient. Maintenant, tout est possible. Allons les saluer.

– Attends ! lui ordonne le comte de Boulogne. Nous ne sommes pas des mercenaires à leur service. S'ils sont trop fiers pour faire le premier pas, envoyons-leur des émissaires de moindre importance.

C'est ainsi que Thibault et un chevalier sicilien mettent pied à terre devant une tente colorée, dressée hâtivement sur le front de la troupe arménienne. Assis sur une lourde cathèdre, Constantin de Gargar les reçoit avec courtoisie. Il est entouré d'une dizaine de personnages, dont le visage farouche est souligné d'une barbe noire et drue. Celui de leur chef, en dépit du sourire qu'il arbore, fait penser à un carnassier observant sa proie.

– Salut à toi, chevalier de Cercy. À défaut de ton seigneur, je suis enchanté de te revoir.

Dans son grec hésitant, Thibault tente quelques formules de politesse.

– Bref, l'interrompt l'Arménien, nous attaquons, oui ou non ?

– À midi.

– Pourquoi pas dès maintenant ? La journée risque d'être longue.

– À midi, nous aurons le soleil dans le dos, les archers de la ville l'auront dans les yeux.

– Ah ! Je commence à comprendre comment les Francs gagnent les batailles. Dis à ton seigneur qu'il regarde bien le soleil, sinon nous serons avant lui sous les murs d'Édesse. Tu me plais bien, chevalier.

CHAPITRE VI

Il n'y a pas eu de bataille pour Édesse. Si Baudouin avait ses espions, il est certain que les Turcs avaient les leurs. À l'instant où le soleil va atteindre son zénith et où l'assaut va être lancé, quelques cavaliers surgissent d'une des portes de la ville. L'un d'eux brandit à bout de bras une pièce de tissu blanc.

Par l'intermédiaire d'un curieux individu, à demi clerc, à demi négociant, et qui semble parler toutes les langues de la terre, l'émissaire turc délivre son message :

– Le gouverneur de la cité d'Édesse, l'émir Malik Shah, ne souhaite pas que le sang coule. Il vous abandonne la place, à la condition que lui-même et toute la garnison puissent se retirer dans l'honneur, avec ses armes et ses oriflammes.

Dans les rangs des seigneurs francs et siciliens, la discussion est vive. Tancrède se montre l'un des plus belliqueux :

– Si le Turc demande cela, c'est qu'il s'avoue

vaincu d'avance. Ne nous privons pas d'une belle victoire à la pointe de l'épée.

Baudouin est plus modéré, ou plus diplomate :

– Qui sait si un jour nous n'aurons pas besoin nous aussi de la générosité de nos ennemis ? Il nous faudra bien vivre en voisins. Pour cette fois, laissons décider les Arméniens.

Thibault est de nouveau dépêché vers le maître de Gargar. Il est rapidement de retour.

– Voici ses paroles : « Laissez ces chiens galeux s'enfuir en faisant semblant de montrer les dents. Cela m'évitera de souiller mon épée dans leur sang impur ! »

– Voilà qui est bien dit ! décide Baudouin de Boulogne. Qu'il en soit ainsi.

Lorsque la troupe des croisés entre dans la cité d'Édesse, elle est saluée par les vivats et les applaudissements de ses habitants qui, depuis les fenêtres, agitent des banderoles. Toutefois, quand arrivent les petits bataillons des guerriers arméniens, les vivats se transforment en acclamations et les gens se précipitent dans les rues au risque d'être bousculés par les chevaux. Des femmes tendent leurs enfants à bout de bras pour qu'on les asseye en croupe ou sur les encolures.

Baudouin de Boulogne continue à faire bonne figure et salue de droite et de gauche. Cependant, Thibault l'entend ordonner à ses lieutenants :

– Accompagnez-moi au palais du curopalate. Faites placer un cordon de sentinelles tout autour. Je ne veux pas voir un Arménien dans les parages. Thibault, ajoute-t-il, puisque le seigneur de Gargar a l'air de te trouver à son goût, explique-lui que pour l'instant nous ne faisons plus la guerre, mais de la politique.

– Je veux bien, messire, mais dites-moi au moins qui est le curopalate.

– Ah oui… Il s'agit du prince arménien Thoros. Depuis cinq ans, il fait semblant de gouverner cette ville, alors que le gouverneur turc impose sa loi. Si j'en crois mes espions, lui et Gargar ne s'aiment pas beaucoup. C'est pourquoi il vaut mieux qu'ils ne se rencontrent pas.

– Et comment pourrais-je le retenir ?

– Je ne sais pas, c'est ton affaire.

Il faut à Thibault une bonne partie de l'après-midi pour retrouver Constantin de Gargar. Ses hommes et lui se sont dispersés dans la ville. Par les fenêtres des maisons, derrière les porches, on entend des rires, des chansons. Des parfums de plats épicés flottent dans les rues. Finalement, après avoir frappé à plusieurs portes, Thibault découvre le seigneur arménien dans une des plus riches demeures. Il a visiblement trop mangé et trop bu, ce qui le met de l'humeur joyeuse d'un ogre rassasié.

– De la politique ! s'exclame-t-il. Cela va bien à ce pleutre de Thoros. Moi, tu sais comment je la fais, la politique ?

Il porte la main à son côté, oubliant qu'il a laissé son sabre quelque part au début du repas.

– Enfin, tu vois ce que je veux dire. Un conseil, mon fils, parce que, comme je te l'ai déjà dit, tu me plais bien. Laisse la politique à ceux qui pensent trop et suis-moi dans la montagne. La vraie vie est là, je te l'assure.

Deux jours plus tard, Baudouin fait appeler Thibault au palais princier. Le guerrier casqué et bardé de fer a déjà pris l'apparence d'un potentat oriental, vêtu de soie.

– Écoute-moi, Thibault. Thoros, le curopalate, m'a nommé gouverneur militaire d'Édesse à la place de Malik Shah. Cependant, puisque je suis chrétien comme lui, il me propose de m'adopter et de me donner sa fille en mariage. Il est âgé et en mauvaise santé… Pourquoi souris-tu ?

– Les pauvres gens n'ont pas atteint Jérusalem. Pour d'autres raisons, j'ai bien peur qu'il n'en soit de même pour nous.

– Qui sait, Thibault, qui sait ? Tout dépend de ce que nous irons y chercher… Parlons plutôt de toi. J'aurais voulu te réserver une place dans les fiefs que je vais distribuer, mais, vois-tu, les chevaliers qui m'ont suivi sont de bon lignage et…

– Et moi, je ne suis qu'un fils de rustre devenu noble par hasard. Je ne demande rien.

– Je sais. Voici ce que je te propose. À vingt ou trente journées de marche vers le nord, au bord de l'Euphrate, la ville de Mélitène est tenue par une garnison turque. Avec l'aide de Constantin de Gargar, tu peux la prendre. Tu seras seigneur de Mélitène et tu garderas ma frontière. Acceptes-tu ?

– J'accepte.

– Je tiens à te prévenir : à Mélitène, tu seras sur les terres seldjoukides du sultan Kilij Arslan.

Thibault de Cercy sursaute ; une bouffée de haine lui brouille la vue. Kilij Arslan ! Le bourreau des gueux dans la vallée de Civitot ! Le rapace ravisseur de Madeleine, la bergère tourangelle qu'il ne peut oublier.

– Je prendrai Mélitène, messire Baudouin, et je la garderai pour vous.

– Pas pour moi, mais pour le Christ, Thibault, pour le Christ.

– Bien sûr, messire, pour le Christ...

Remontant la vallée de l'Euphrate, Thibault de Cercy, à la tête d'une centaine de cavaliers et du double d'hommes à pied, s'engage vers le nord. Passé la ville de Samosate, déjà occupée par les croisés, jamais les Francs ne se sont engagés aussi profondément en terre ennemie.

Le premier obstacle qui se présente est la cité fortifiée de Gargar. Son seigneur guerroyait quelque part dans la montagne lorsque, il y a cinq ans, les Turcs ont investi sa ville. Il n'a pu ni la défendre ni la reprendre.

Alors que les Francs campent à proximité, Thibault, en pénétrant dans sa tente, y découvre Constantin. Écourtant les politesses d'usage en Arménie, l'homme en vient au fait, sans détour :

– Je te propose un marché. Si tu laisses des Turcs sur tes arrières, jamais tu ne pourras assaillir Mélitène. Donc, il faut que tu m'aides à recouvrer Gargar. Je saurai te montrer ma reconnaissance.

– Donnerons-nous l'assaut ?

– Ça ne sera pas nécessaire. Disperse tes fantassins autour de la ville, comme si tu envisageais le siège.

Cela occupera l'attention des mahométans. Regroupe ta cavalerie en face de la porte sud. À l'instant où le soleil se couchera, le pont-levis s'abaissera et les battants s'ouvriront. Alors, charge sans attendre. Ne te préoccupe que d'une chose : empêcher les Turcs de refermer la porte. Mes guerriers te suivront et se chargeront du reste.

Thibault observe son interlocuteur. Ce dernier est aussi calme et serein que s'il parlait de la pluie et du beau temps.

– Je suppose que ce sont vos partisans à l'intérieur des murs qui attaqueront la garde et qui ouvriront.

– Bien sûr.

– Comment seront-ils prévenus ?

– J'ai été maître de cette ville, ainsi que mon père et le père de mon père. Elle a des secrets que les Turcs ignorent et qu'il n'est pas utile que tu connaisses.

– Pourquoi n'avez-vous pas tenté cela plus tôt ?

– Je t'attendais, mon fils, je t'attendais – toi, et tes fous de croisés.

Constantin soulève la portière de la tente. Avant de sortir, il se retourne, toujours souriant.

– Un détail encore ! Toi et quelques-uns de tes chevaliers serez les bienvenus dans mon palais lorsqu'on l'aura débarrassé des mahométans et de leur vermine. En revanche, j'aimerais mieux que tes soudards restent à l'extérieur des murs. Ils ont parfois de mauvaises manières.

Lorsqu'il est informé de cette condition, le Borgne s'indigne :

– Tu avais raison : Byzantins, Arméniens, c'est du pareil au même ! Nous faisons la besogne et ils en tirent le profit. Tu verras qu'à Mélitène ce sera la même chose…

– Tu oublies que je suis seigneur de Mélitène par la volonté de Baudouin, comte d'Édesse.

– Ouais… Tous ces faux chrétiens peuvent aussi l'oublier.

Le lendemain soir, Constantin de Gargar, acclamé par la population, pénètre en triomphateur dans sa ville.

CHAPITRE VII

Les remparts de Mélitène sont moins impression-
nants que ceux de Gargar. En revanche, une lourde
citadelle, bâtie sur un tertre rocheux, domine la cité
de sa masse.

Les chefs croisés et arméniens se concertent. Tous
tombent d'accord sur un fait : si la ville basse peut
être prise d'assaut aisément, il faudra des semaines,
sinon des mois de siège pour venir à bout de la citadelle. Constantin n'est guère plus optimiste que les
autres. Il précise :

– C'est perdu d'avance. Kilij Arslan aura tout le
temps d'envoyer une armée de secours. Nous ne pourrons pas nous défendre avec la garnison dans notre
dos.

– Comment serait-il averti ? objecte Thibault.
Nous avons encerclé la ville et aucun messager n'a
pu en sortir.

Le maître de Gargar prend un air consterné.

– Vous n'avez jamais entendu parler des pigeons

voyageurs ? Non, bien sûr… On les garde en cage et ils sont dressés, lorsqu'on les lâche, pour retourner tout droit vers celui qui les a élevés ; en portant un message évidemment. Les Arméniens et les Turcs connaissent cela depuis des siècles.

Vexé de son ignorance, le sire de Cercy maudit en lui-même le père Tersissius pour ne pas lui avoir révélé ce secret.

– C'est ainsi que vous avez prévenu vos partisans à Gargar ?

– En partie, oui. Mais j'avais aussi d'autres moyens. Tout cela ne fait pas avancer notre affaire.

C'est alors que s'approche le curieux bonhomme qui, sous les murs d'Édesse, a servi d'interprète lors de la négociation avec les Turcs. Il ne les a pas suivis dans leur retraite, et s'est joint aux croisés avec une demi-douzaine de mules chargées de mystérieux ballots. Jusqu'à maintenant, il s'est montré fort discret.

Après avoir salué à la ronde, il entraîne Constantin à part et lui explique longuement quelque chose avant de s'éloigner à petits pas. Le seigneur de Gargar revient vers les siens. Son sourire carnassier est plus épanoui que jamais.

– Ce maronite est une perle dont il faudra prendre soin. Il vient de me donner la clé de la victoire : dans le rocher, sous la citadelle, est creusée une citerne. Elle est alimentée par un canal souterrain qui amène l'eau d'une source dans la montagne. Le maronite en connaît l'endroit.

– Par le Christ ! s'écrie un chevalier. Il suffit de détourner la source et…

Gargar hoche la tête et l'interrompt :

– Cela ne suffira pas. La réserve d'eau est très importante et leur permettra de tenir longtemps.

– Alors ?

– Dans ses bagages, ce diable de Syrien possède une certaine poudre qui ne donne aucun goût à l'eau mais a un étrange pouvoir.

– Un poison ?

– Pas vraiment. Toutefois, celui qui boit cette eau ne peut tenir sur ses jambes deux jours durant. Ensuite, elle redevient parfaitement buvable. Qu'en penses-tu, Thibault ?

– Je pense que cette façon de faire la guerre nous vaudra l'enfer. Ce n'est pas cela que je suis venu chercher ici.

L'ogre de Gargar éclate d'un rire féroce.

– Allons, Thibault, allons ! Nous ne faisons pas la guerre, mais de la politique. C'est bien cela, non ? Quant à ce que tu es venu chercher ici…

Au premier assaut, les Turcs ont abandonné la garde des remparts et des portes pour se réfugier sans combattre dans la citadelle, qu'ils jugent imprenable. La ville, peuplée en forte majorité d'Arméniens et de Syriens, a fait fête à ses libérateurs.

– Maintenant, a déclaré Constantin, il faut patienter jusqu'à demain soir.

Le lendemain donc, fidèle à son habitude, Thibault est l'un des premiers à monter à l'assaut. Personne ne tente de repousser les échelles dressées contre la muraille et les quelques flèches tirées depuis les créneaux se perdent sans atteindre leur but. Lorsqu'ils mettent pied sur le chemin de ronde, les croisés ne rencontrent que des hommes hagards, titubants et qu'une simple bourrade suffit à renverser. Beaucoup gisent déjà sur le sol et tentent vainement de se redresser.

– Sacredieu ! s'exclame le Borgne. Je ne sais pas ce que ce damné faux chrétien a versé dans l'eau, mais c'est à croire qu'ils ont tous la peste !

Dès que les battants de la grand-porte sont déverrouillés, les guerriers arméniens se répandent dans la forteresse et, sans hâte, méthodiquement, entreprennent de massacrer les soldats turcs incapables de se défendre. D'abord cloués de stupeur, les chevaliers francs tentent très vite de s'interposer. Ils sont bousculés sans ménagement. Le sire de Gargar saisit brutalement Thibault par l'épaule.

– Toi et tes hommes, retirez-vous dans la ville et laissez-nous faire ce qui doit être fait.

– Mais c'est monstrueux ! C'est indigne d'un chrétien !

– Quand tu sauras de quoi sont capables les mahométans… Je croyais d'ailleurs que tu le savais déjà.

– Je ne peux pas tolérer cela !

Le regard noir de Constantin brille dangereusement.

– Tu préfères que nous en venions aux mains ? Ce serait stupide, petit croisé. Viens me retrouver demain à midi. Je te promets que tu ne verras plus trace de rien ; et l'eau sera de nouveau buvable.

La rage au cœur, Thibault s'incline et, suivi de ses hommes, tourne le dos à ce qu'il ne peut empêcher. Le Borgne, à ses côtés, lui fait la leçon :

– Je te l'ai déjà dit, messire, tu as le cœur trop tendre. Souviens-toi de la plage près de Civitot, des têtes coupées qui avaient roulé dans le sable. Imagine ce qu'ils ont fait de ta damoiselle…

– Tais-toi, ou je te tue !

– Tu ne peux pas faire ça, baronnet, je suis… Comment as-tu dit déjà ? Ah oui : je suis ta conscience.

Le lendemain, lorsque Thibault revient dans la citadelle, la place est aussi nette que s'il ne s'était rien produit. Les corps ont disparu, le sang répandu a été soigneusement lavé. Constantin est d'humeur joyeuse.

– La place est à toi, mon fils. Tu vas avoir de l'ouvrage pour la conserver, mais je te fais confiance. Dans l'immédiat, tu n'as rien à craindre de Kilij Arslan. Les pigeons voyageurs l'ont assuré que tout allait bien à Mélitène. Il n'en demeure pas moins que je suis redevable envers toi.

– Vous ne me devez rien. Je vous ai prêté main-forte à Gargar, vous m'avez aidé ici, nous sommes quittes.

– Absolument pas ! Mélitène, Gargar, c'était un marché entre nous. Je veux te prouver ma reconnaissance et mon amitié en te faisant quatre présents, comme il se doit en Arménie.

Constantin prend le temps d'emplir deux gobelets de vin et d'en présenter un à Thibault.

– D'abord, je laisse le maronite à ton service. C'est

une crapule et un traître, mais il peut t'être utile. Tant que le sort te sourira, il te sera fidèle. Ensuite, j'ai fait grâce de la vie à l'émir Suliq Bey qui commandait la place. Il sera bientôt remis de l'empoisonnement et tu pourras en tirer une bonne rançon.

– C'est très généreux. Je vous en remercie.

– Des bagatelles ! Je t'ai dit : quatre présents. Je vais te laisser deux cents de mes guerriers, qui renforceront ta troupe. Tu peux leur faire confiance. Ils t'obéiront comme à moi-même si tu as besoin d'eux.

Le jeune homme remercie encore, conscient cependant qu'on lui offre là une arme à deux tranchants, qui lui sera d'un grand secours mais qui n'échappera pas à la main du maître de Gargar. Ce dernier boit une gorgée de vin, se recueille un instant pour bien marquer la solennité de ce qu'il va dire. Puis :

– Mon quatrième cadeau est le gage de la profonde amitié que je te porte.

L'ogre laisse ses yeux s'embuer de tendresse et d'émotion, avant de poursuivre :

– Je te donne Arda, ma fille cadette, pour épouse, et ainsi tu seras mon fils.

Thibault demeure un long moment sans voix sous le regard soudain sourcilleux de Constantin.

– Alors ? Qu'en dis-tu ?

– Messire, vous me faites grand honneur, mais pour l'heure, je n'ai pas l'intention de prendre femme.

Le front du seigneur de Gargar se plisse sous l'effet de la colère. Il saisit le jeune homme par le col de son pourpoint, comme s'il allait l'étrangler.

– Comment ? Je t'offre ce que j'ai de plus précieux au monde après ma propre personne : la chair de ma chair, le sang de mon sang ! Et toi, petit pouilleux, chevalier de rien du tout, tu oses refuser ! Sais-tu qu'il suffit que je lève un doigt pour que tes quelques chiens pelés et toi-même soyez déjà morts ?

Le chevalier porte la main à son épée, saisi à son tour de fureur, la même fureur aveugle qui, là-bas en pays d'Auvergne, a poussé Mathieu Boveret, le manant qu'il était alors, à tuer Tortegoule, le garde-chasse. Puis, subitement, la voix du père Tersissius traverse sa mémoire : « Le destin, mon fils, le destin ! Qui es-tu pour aller contre ? »

Thibault s'écarte vers une fenêtre pour retrouver son calme. Au pied de la citadelle, l'Euphrate roule ses eaux ocre. La vallée est là, rassurante et riche ; au loin, les hauts plateaux brumeux sont comme un appel, un défi. Le destin, Mathieu Boveret, le destin…

Il se retourne lentement vers l'Arménien.

– J'accepte votre offre, à une condition.

– Laquelle ?

– Je ne veux pas que ce mariage se fasse contre le gré de votre fille.

Constantin, toute colère oubliée, éclate de rire, ses dents blanches illuminant son visage sombre.

– Ne sois pas inquiet. Je lui en ai déjà touché quelques mots. Elle est tout à fait consentante, comme il se doit. Et lorsqu'elle t'aura vu...

La seule oreille compatissante à laquelle Thibault puisse se confier ce soir-là est celle du Borgne. Celui-ci se montre une fois de plus plein de bon sens.

– Bah ! déclare-t-il. Il pouvait t'arriver pire malheur. Si tu avais regardé plus attentivement les Arméniennes, tu aurais remarqué qu'elles sont jolies personnes. Bien sûr, elles n'ont pas les cheveux roux ni les yeux verts...

CHAPITRE VIII

Dès que Suliq Bey a repris ses esprits, Thibault de Cercy, accompagné du maronite, lui rend visite dans sa cellule. À l'annonce de la prise de la ville et de l'anéantissement de la garnison, le Turc demeure un instant prostré, puis il redresse bravement la tête.

– Allah l'a voulu ainsi. Pourquoi m'avez-vous épargné ? Qu'espérez-vous de moi ?

– Constantin de Gargar m'a parlé de rançon.

L'homme a un rire amer.

– Une rançon ! Ce chien d'Arménien s'est moqué de toi. Ma vie ne vaut pas mieux qu'un galet du fleuve. Kilij Arslan ne me pardonnera pas.

– Vous avez été vaincus par ruse et par traîtrise. Cet individu qui nous sert d'interprète en est l'artisan.

– Et alors ? Le sultan ne me tiendra pas rigueur d'avoir perdu Mélitène, mais d'en être le seul survivant. Je devrais être mort.

Thibault observe attentivement cet homme qui sait rester digne dans son désespoir.

– Quoi qu'il en soit, dit-il, je n'avais nullement l'intention de demander rançon. Tu es libre.

À son tour, le Turc regarde son interlocuteur dans les yeux.

– Je pensais que les croisés n'étaient que des pillards assoiffés de sang et avides de butin. Mais on dit aussi que certains sont de nobles chevaliers, tel que l'est le seigneur Godefroi. Tu es de ceux-là.

– Tu ne sais pas qui je suis.

– Tu es ce que tu es, ici et à cette heure. Écoute-moi cependant. Le sultan ne me fera sans doute pas empaler, parce que je suis son cousin. Mais il me condamnera à te combattre sans merci. Je ne te donnerai pas un instant de répit.

– Tant mieux. Ainsi du moins je saurai qui est mon adversaire.

Impressionné par cet échange, le maronite traduit aussi vite et aussi fidèlement qu'il peut les propos de chacun. Suliq Bey salue Thibault en portant sa main droite à son front, sa bouche et sa poitrine.

– Je te tuerai peut-être un jour, et je ne me pardonnerai pas d'avoir tué un frère. Je voudrais savoir une chose : tu viens de si loin, qu'est-ce qui t'a conduit jusqu'ici ?

– Un sage m'a dit que c'était le destin, ou le hasard, je ne sais plus.

– Bien sûr : *az-zahr*, c'est ainsi que les Arabes appellent les jeux de dés : la chance, la malchance. Que la chance soit avec toi, mon ami.

La grande salle de la citadelle de Mélitène est éclairée des torches et des chandelles qu'on a réquisitionnées dans la ville et aux alentours. Leur fumée stagne sous les voûtes et peine à s'échapper par les ouvertures. Leur odeur se mêle à celles, plus lourdes encore, des moutons rôtis à la broche et des sauces épicées. Sur une estrade, une dizaine de musiciens tentent de surmonter le brouhaha général.

Constantin de Gargar a voulu que le mariage de sa fille se fasse avec faste et en respectant les coutumes. Autour de la table du banquet, on ne compte que des hommes : des seigneurs arméniens et des chevaliers francs, à nombre égal. Les boissons fortes aidant, les conversations se croisent dans un curieux mélange des langues. Comme il n'est question que de faits d'armes et de chasse, chacun y trouve son compte.

Pour la dixième fois, Constantin secoue Thibault d'une bourrade.

– Allons, chevalier, un peu de vigueur ! On dirait que tu assistes à tes propres funérailles.

Pour la dixième fois, le sire de Cercy se lève et

brandit son gobelet ; la tablée entière fait de même. À plusieurs reprises, il est tenté de s'enfuir pour mettre fin à cette mascarade. Une sagesse qu'il ne se connaissait pas le retient. Au bout de la table, son écuyer, inquiet, l'observe de son œil unique.

Jusqu'à maintenant, Thibault n'a entrevu son épouse que fugitivement, pendant la cérémonie religieuse. Une longue silhouette, rigide dans sa robe et sa cape de brocart argenté ; un fin profil à peine dévoilé par des bandeaux d'une lourde coiffure brodée de perles.

La nuit est fort avancée lorsque le chevalier, libéré des embrassades de son beau-père, regagne ses appartements. Dans la pénombre, Arda l'attend. Ses cheveux bruns sont déployés jusqu'au milieu de son dos et, en contre-jour, les torches du mur dessinent son corps sous sa chemise de soie. Pétrifié, Thibault n'ose plus faire un pas. Et c'est elle qui s'approche de lui.

– Tu es belle, dit-il.

Elle tend la main, et ses doigts effleurent la longue cicatrice qui balafre la joue du jeune homme.

– Toi aussi, tu es beau.

Ils ne peuvent se comprendre que par le truchement de la langue grecque. Leurs mots sont malhabiles, autant que leurs gestes.

– Je sais que tu ne souhaitais pas m'épouser. Peut-être y a-t-il une autre femme dans ton cœur ?

Thibault, aussi tendrement qu'il le peut, la prend dans ses bras.

– J'avais un cœur. On me l'a échangé pour un autre, que je ne connais pas. Si tu le veux, Arda, celui-là, je te le donne. L'autre n'appartiendra jamais qu'à moi.

– Alors, je te perdrai un jour. Nous n'y pourrons rien, ni l'un ni l'autre. Je voudrais avoir la foi des mahométans pour pouvoir dire comme eux : *Inch Allah !*

L'été de l'an 1099 brûle les collines environnant Mélitène. Le lit de l'Euphrate s'assèche pour s'encombrer de bancs de sable et de galets. À l'heure de midi, il semble que plus un arbre, plus un mur ne peut porter d'ombre.

Les Francs peinent à supporter un ciel aussi obstinément bleu. Beaucoup, le sire de Cercy le premier, ont renoncé aux lourdes cottes de mailles pour des tuniques arméniennes renforcées sur la poitrine de plaques de cuir. Les heaumes, sous lesquels les crânes cuisaient comme des œufs, ont été troqués contre des casques légers, et parfois par des turbans.

Qui reconnaîtrait dans ces hommes hâlés et barbus les croisés qui, deux ans plus tôt, ont quitté Constantinople ? En changeant de tenue, de plus en plus nombreux sont ceux qui ont omis d'y recoudre la croix du Christ.

Le harnachement des chevaux s'est fait moins contraignant lui aussi et les longues lances restent inemployées dans les râteliers de la citadelle. Si on a perdu en invulnérabilité, on a gagné en aisance et en rapidité. D'ailleurs, le temps n'est plus aux batailles rangées et aux charges irrésistibles. L'ennemi est toujours là pourtant, mais il ne se manifeste que par de brèves escarmouches, des embuscades, des coups de main imprévisibles, sans qu'il n'y ait jamais de vrai combat. Malgré tout, il faut chaque fois déplorer des morts et des blessés dans chaque camp.

Suliq Bey tient parole : il ne laisse pas de répit à ceux qui lui ont pris sa ville.

Ce qui n'empêche pas le nouveau seigneur de Mélitène de régner en maître sur ses terres. La ville, les villages et les campagnes alentour sont scrupuleusement taxés en nature et en monnaie, aussi bien que du temps des Turcs. Le maronite, qui a peu à peu acquis le rôle d'intendant du domaine, y veille, pour son plus grand bénéfice. Les caravanes qui descendent ou remontent le cours de l'Euphrate paient leur droit de passage, comme cela s'est toujours fait.

Les expéditions lancées vers le nord, en terre turque, satisfont l'ardeur guerrière des chevaliers francs et de leurs auxiliaires arméniens. Le butin accumulé les enrichit. La part de Thibault de Cercy n'est pas des moindres.

– C'est merveilleux ! répète souvent le Borgne, en retroussant sa manche sur la marque de son avant-bras. J'étais brigand dans les forêts de Bourgogne et on me promettait le gibet. Brigand je suis sur ces terres païennes, et le paradis m'est offert. C'est merveilleux ! Qu'en dis-tu, messire ?

Thibault se garde de répondre. Il est plus puissant, plus fortuné que ne l'était, là-bas sur son fief, le sieur de Vaugremont, maître après Dieu de sa vie de serf et de celle de ses parents. Ses soldats, qui connaissent tous son histoire, l'admirent et le suivraient en enfer. Les chevaliers, anciens vassaux de Turpin d'Étampes, se montrent, quant à eux, plutôt distants mais tiennent scrupuleusement la parole donnée à leur ancien suzerain.

Le plus âgé d'entre eux cependant, qu'on appelle le connétable, s'est pris d'affection pour le jeune chevalier. Ses conseils ont corrigé à plusieurs reprises certaines décisions trop aventureuses. Thibault se confie volontiers à lui :

– J'ai parfois bien du mal à comprendre ce que nous faisons ici, messire. Si ce n'est chercher fortune et pouvoir. Les pauvres pèlerins qui sont morts à Civitot ne nous le pardonneraient pas.

– Nous avons libéré le peuple arménien du joug des mahométans.

– Bien sûr. Et nous l'avons remplacé par le nôtre.

– Nous sommes chrétiens, comme ils le sont. Nous nous battons pour la croix du Christ.

– La croix du Christ ! Voyez, messire, nous ne la portons même plus sur nos poitrines.

Le connétable tend le doigt vers la cicatrice qui barre la joue du jeune homme.

– Dis-moi franchement, Thibault, est-ce que c'est la foi qui t'a amené en ces lieux ?

– Non. Je ne suis pas mécréant, mais je pense que les hommes qui disent agir au nom de Dieu sont des imposteurs.

– Alors, pourquoi es-tu ici, en cet instant ?

– Je ne sais pas. Depuis que là-bas, en Auvergne, j'ai dit non à la volonté de mes maîtres, il me semble que ce qui m'arrive ne dépend plus de moi. C'est peut-être ma punition.

Un soir, un cavalier pénètre en trombe dans la cour de la citadelle. Son cheval et lui sont couverts d'une poussière que la sueur transforme en coulées de boue.

– Oyez, oyez ! hurle-t-il. Jérusalem est libérée ! Les Sarrasins ont lavé ses rues de leur sang. Notre preux duc Godefroi est désormais, selon sa volonté, « avoué du Saint-Sépulcre ». Il invite tous les bons chrétiens à venir s'incliner devant le tombeau de Notre-Seigneur. Jérusalem est libérée !

L'homme est aussi porteur d'une missive personnellement adressée à Thibault de Cercy, sire de Mélitène, de la part de Baudouin de Boulogne, comte d'Édesse :

Voici mes ordres : sous aucun prétexte, ne quitte tes terres, et maintiens-y ton autorité. Je fais de même à Édesse. Pour l'heure, nous avons mieux à faire que des signes de croix. Réservons cela pour plus tard.

CHAPITRE IX

Quatre années viennent de s'écouler depuis que les barons d'Occident ont franchi le Bosphore. Les chrétiens, sans cesse renforcés par de nouveaux croisés, sont les maîtres du Levant. Les Turcs et les Arabes sont contraints d'accepter leur domination sur les territoires conquis. Les grands seigneurs de Flandre, de Normandie, d'Aquitaine et de Sicile se les sont partagés. Là-bas, au sud, presque à toucher l'Égypte, la seigneurie de Montréal. Plus au nord, le royaume de Jérusalem, dont Baudouin de Boulogne est maintenant le souverain, depuis la mort du duc Godefroi. Puis le comté de Tripoli et la principauté d'Antioche, sur les rivages de Méditerranée. Enfin, le comté d'Édesse, que Baudouin a cédé à son cousin Baudouin du Bourg.

Sur les marches extrêmes du comté, au contact de l'immense Empire seldjoukide, Thibault de Cercy, seigneur de Mélitène, maintient désormais avec Suliq Bey une sorte de paix armée. Une frontière s'est établie.

Chacun s'aventure de temps à autre sur les terres de son adversaire, pour des coups de main sans grande conséquence.

– En fait, affirme le connétable, c'est une manière de faire la paix sans s'incliner devant l'ennemi. Nous pourrons vivre ainsi mille ans.

C'est sans doute l'opinion de tous les chrétiens qui, au nom du Christ, ont pris pied en Palestine et en Syrie. Ils y sont et y demeureront chez eux. Il suffit de tenir les mahométans à distance et, quand ils l'acceptent, de négocier avec eux.

Thibault, comme les autres, n'est pas loin de croire à ce mirage. Il va avoir vingt-trois ans ; il jouit d'une grande autorité, d'une certaine fortune et de l'amour d'une femme merveilleuse. Arda lui a donné un fils, dont les yeux bleus étonnent sous ses cheveux bruns. Il l'a appelé Mathieu, sans doute pour ne pas renoncer à ce prénom que Mathieu Boveret, serf par sa naissance, a abandonné pour devenir chevalier de Cercy, baronnet d'Étampes.

Les tourments que lui a tout d'abord infligés cette brutale mutation s'estompent. Sur cette terre étrangère, sous ce ciel nouveau, tout futur paraît possible.

– Sacredieu, répète fréquemment le Borgne, j'ai de plus en plus de mal à me rappeler que j'ai crevé de faim en bûcheronnant en pays morvan, puis que j'ai gagné ma pitance en assommant d'innocents voyageurs ! Et toi, messire, as-tu souvenance de tes bœufs ?

Le chevalier hausse les épaules et, depuis les remparts de Mélitène, regarde couler l'Euphrate.

Un soir de mai, une caravane syrienne de dromadaires et de mulets vient réclamer asile dans la ville. S'étant affranchi des droits que représente cette hospitalité, son chef demande à être reçu du seigneur de Mélitène. Après mille salutations, il lui remet un pli cacheté qui lui a été confié à Édesse.

– Dieu te bénisse, maître, que cette missive t'apporte la félicité.

Thibault brise la cire et déploie le feuillet de papyrus.

Tersissius, carissimo filio suo[1].

L'émotion du jeune homme est telle que, pendant un instant, sa vue se brouille, puis, avec difficulté, il déchiffre le début de la lettre.

---

1. En latin : « De Tersissius, à son très cher fils. »

J'écris ces premières lignes en latin en espérant qu'à ne fréquenter que des soudards tu n'es pas redevenu complètement analphabète. Je ne suis pas encore assez sage pour oublier l'affection que j'ai pour toi. Je vais poursuivre en écriture grecque pour mettre fin à tes souffrances. Un homme aussi puissant que toi trouvera bien quelqu'un pour t'en faire lecture.

Sitôt mandé, le maronite accourt, l'air aussi empressé qu'à l'accoutumée. Sous son apparente modestie, il se sait indispensable.

– Est-ce que tu sais lire le grec ?

L'expression outragée de l'homme montre clairement l'inconvenance d'une telle question. Évidemment, il sait lire le grec ! Il s'empare de la missive, s'éclaircit la voix… mais, dès les premières syllabes, s'interrompt.

– Messire, les lettres sont bien du grec, mais les mots sont du parler franc. Ce langage ne m'est pas encore familier, et je ne crois pas que…

Thibault éclate de rire. Il retrouve bien dans ce tour de passe-passe la malice du vieux moine, qui l'amusait et le déroutait à la fois. Il a besoin d'un lecteur, mais le message est uniquement pour lui.

– Ça ne fait rien, dit-il, lis lentement, tel que c'est écrit. Je comprendrai.

L'exercice est laborieux, car le maronite ne saisit pas le sens de ce qu'il prononce. Cependant, peu à peu, il y prend goût. Le roman sonne bizarrement dans sa bouche ; à plusieurs reprise, il doit répéter, mais c'est la voix de Tersissius que Thibault entend.

Si tu croyais échapper à ma vigilance en t'enfuyant dans les lointaines contrées païennes, l'affaire est manquée. Je te suis pas à pas. Mes voyages, à moi, se font dans la très riche bibliothèque du basileus, à laquelle mes humbles mérites me donnent accès. Il y a là des cartes antiques datant, pour certaines, du Grand Alexandre. Grâce à elles, je t'ai accompagné jusqu'à Mélitène, sur les bords du fleuve Euphrate.

Te voilà donc devenu maître tout-puissant d'une cité et de ses terres, défenseur des marches d'Édesse. Ne crois pas toutefois que je sois ébloui par tes hauts faits guerriers. En revanche, je me réjouis que tu aies épousé une Arménienne et que tu saches entretenir avec les mahométans des rapports pacifiques.

Comment sais-je tout cela ? La terre du Levant est une fourmilière, en comparaison de laquelle nos pays francs sont des nids de cloportes. Ici, on va et on vient, en tous sens, pour mille et une raisons. Les nouvelles de partout s'y échangent comme les marchandises. Et où s'échangent-elles ? À Constantinople, bien sûr. L'empereur de Byzance est sans doute l'homme le mieux informé du monde.

Bref, je sais où tu es, et ce que tu y fais. Ce qui m'inspire quelques réflexions, dont, à l'occasion, tu pourras tenir compte.

Je te connais suffisamment pour supposer que tu as parfois des doutes sur la légitimité de ta position. C'est injustifié. Tu ne l'as pas acquise par mauvaises actions. Tant que tu n'en commettras pas pour t'y maintenir, tu n'auras pas à rougir de ce que tu étais et de ce que tu es devenu.

La croisade se prétendait être un grand et pieux pèlerinage où la croix serait la seule arme. Elle n'est en réalité qu'une guerre de conquête et d'invasion comme tant d'autres. Peut-être plus habile que les autres. Il n'y a que les simples d'esprit pour être dupes. Là encore, tu n'as pas de reproches à te faire. Tu ne t'es pas trahi, puisque ta seule quête était celle de ta liberté. Si tu penses l'avoir acquise, conserve-la. C'est ton droit, à condition que tu ne l'achètes pas au prix de la liberté d'autrui.

Voilà, mon prêche est fini. Au cas où tu t'inquiéterais de ma propre personne, ne te tourmente pas. Mon corps se plaint un peu de son âge, mais il me semble que mon esprit ne fait que s'éveiller. Je me convaincs chaque jour davantage *que la philosophie doit l'emporter sur la foi, et qu'il vaut mieux raisonner que de croire. Que la sagesse et le bonheur soient avec toi.*

Avec la caravane porteuse de cette lettre est arrivée une troupe d'une dizaine d'hommes qui éveillent la curiosité des citadins et de la garnison. Ils sont armés et équipés comme s'ils étaient en campagne. Ils portent tous une cape blanche, frappée d'une large croix rouge. Leur chef a immédiatement exigé d'être reçu par le seigneur des lieux. Ses cheveux gris le font paraître plus âgé qu'il ne l'est sans doute. Son maintien et le ton de sa voix laissent entendre qu'il n'autorise personne à douter de son importance.

– Je suis Bernard de Sommières, chevalier du Temple. Notre grand maître m'a donné mission de prendre mes quartiers en cette ville.

Thibault de Cercy a entendu parler de cet ordre de moines-soldats, très récemment fondé. Ils ne connaissent pas d'autre suzeraineté que celle du pape. Leur arrogance et leur intransigeance ont, dit-on, déjà exaspéré plus d'un baron croisé, en particulier le roi Baudouin de Jérusalem. Il est cependant difficile de contester leur autorité. Le seigneur de Mélitène pensait que son éloignement lui épargnerait leur présence.

– Je ne peux qu'être honoré de votre venue, affirme-t-il. Il me semblait toutefois que votre mission était de protéger nos pèlerins en leur faisant escorte.

– Il en est bien ainsi, répond sèchement le Templier.

– Nous ne sommes pas ici sur un chemin qu'ils empruntent pour se rendre à Jérusalem.

– Certes. Je dois vous rappeler que notre devoir est aussi, et surtout, de lutter sans répit contre les infidèles jusqu'à ce qu'ils renoncent à leur foi, ou qu'ils soient exterminés.

Devant l'absence de réaction de son interlocuteur, le sire de Sommières poursuit sur un ton plus agressif :

– Il semblerait que dans le comté d'Édesse on ait quelque peu négligé cette tâche. Certains chevaliers iraient jusqu'à éviter toute action qui pourrait les amener à se heurter à l'ennemi – quitte à pactiser avec lui.

Thibault a trop fraîchement en mémoire la lettre apaisante de Tersissius pour se laisser aller à l'accès de colère qui le guette.

– Je suppose que je ne suis pas personnellement visé par cette remarque.

Le visage émacié du Templier esquisse un sourire.

– Bien sûr que non ! Je suis ici pour assurer à notre grand maître, et par-delà, à notre Saint-Père, que la sauvegarde de la Vraie Foi est l'unique préoccupation du seigneur de Mélitène.

Thibault s'efforce de demeurer impassible, mais une évidence s'impose à lui. Cet homme et ses semblables portent en eux l'intolérance et la haine qui font le malheur des êtres humains.

CHAPITRE X

La caravane des marchands syriens est repartie au petit matin vers le nord, escortée par une vingtaine de soldats commandés par le Borgne. À midi, ce dernier est de retour et entre en trombe dans la salle où Thibault de Cercy se prépare à prendre son repas. Il arbore sa trogne d'avant ou d'après les mauvais coups.

– Ça va mal, messire !

– Qu'est-ce qui va mal ? Et pour qui ?

– Pour les mahométans de l'émir, et du même coup pour nous.

Se forçant au calme, Thibault emplit un gobelet de vin et le tend à son écuyer.

– Assieds-toi, et raconte.

– Voilà. On a fait comme d'habitude. On a accompagné les marchands jusqu'au troisième coude du fleuve, pour bien montrer que jusque-là on était chez nous. Après, on les a laissés filer, pour qu'ils s'arrangent avec les Turcs un peu plus loin.

– Bon ! Et alors ?

– Alors, au moment où on allait faire demi-tour, sont arrivés les « Blancs Manteaux ». Tu sais les…

– Oui, les Templiers.

– Ils ont décidé de suivre la caravane.

– Tu n'as pas essayé de les en empêcher ?

Le Borgne prend un air offusqué.

– Les en empêcher ! Si tu crois que c'est facile pour un gueux comme moi de discuter avec l'envoyé du pape ! J'ai pourtant poussé en avant, pour voir…

– Et qu'est-ce que tu as vu, bougre de bavard ?

– Ce n'est pas difficile à deviner. Les Turcs qui attendaient les marchands étaient moins nombreux que nous et plutôt sans malice. Tu vois, comme ils sont quand on ne leur cherche pas noise. Les Blancs Manteaux ont chargé – à croire qu'ils avaient Belzébuth en face d'eux. C'est à peine si quatre ou cinq mahométans ont pu en réchapper.

Thibault de Cercy se tourne vers la fenêtre.

– Tu sais ce que ça veut dire, le Borgne ?

– Ben oui. Ton émir ne va pas aimer ça. On est repartis pour se faire la guerre. Et le tout à cause de ces foutus culs-bénits.

La nouvelle entrevue entre Thibault de Cercy et le sire de Sommières est orageuse. À la colère froide du premier, le Templier oppose un mépris à la limite de l'injure.

– Cette comédie a trop duré, déclare-t-il. Je vous donne deux jours pour agir, sous peine de vous faire accuser de lâcheté ou de traîtrise. Le nouveau comte d'Édesse n'a pas le caractère de Baudouin de Boulogne ; il ne vous défendra pas. Voilà ce que nous allons faire…

– Attendez un instant, messire, l'interrompt Thibault. Je suis seigneur de Mélitène ; vous ne me contraindrez pas à agir contre ma conscience.

– Votre conscience ! Est-ce votre conscience qui vous a autorisé à effacer la croix de votre poitrine ?

Le projet du Templier est élémentaire. Lors de l'action de la veille, il a fait deux prisonniers. Il les a soumis à la torture et ils lui ont révélé qu'un des lieutenants de Suliq Bey campait dans la vallée d'un petit affluent de l'Euphrate, à dix milles de ce qu'on avait pris coutume d'appeler « la frontière ». On allait attaquer le campement par surprise et exterminer cette vermine !

– Vous allez mettre le pays à feu et à sang ! s'indigne Thibault. C'est la population arménienne de la campagne qui en souffrira.

– Et alors ? Ces schismatiques ne valent guère

mieux que les mahométans. J'espère que votre fils a été baptisé selon le rite de notre sainte mère l'Église.

– Laissez mon fils en dehors de cela. Je vous préviens, mes auxiliaires arméniens ne nous suivront pas dans cette entreprise.

– Tant mieux ! Nous n'avons que faire d'eux !

Le sire de Sommières s'approche de Thibault et lui appuie son index sur la poitrine.

– Dites-moi, chevalier de Cercy, baronnet d'Étampes, seriez-vous aussi peu sûr de votre nom et de vos titres pour ne point oser affronter les infidèles ?

Avant que Thibault ne commette le geste irréparable de lever la main sur le moine-soldat, le connétable, qui a assisté silencieusement à l'entretien, s'interpose :

– Les croisés de Turpin d'Étampes feront leur devoir, messire, notre chef le premier.

Personne n'a remarqué que le maronite, apparemment plongé dans l'étude de ses comptes, a suivi la scène et que, malgré sa méconnaissance de la langue franque, il en a compris l'essentiel.

En dépit des protestations du Templier, Thibault a laissé dans Mélitène une bonne moitié de ses chevaliers et de ses soldats, sous les ordres du connétable.

– Je ne veux pas que, pendant que nous courons à l'aventure, ma ville soit démunie de ses défenseurs.

Au moment du départ, quand le Borgne a appris qu'il était, lui aussi, condamné à demeurer sur place, il est entré dans une fureur noire.

– Depuis quand est-ce qu'un chevalier part au combat sans son écuyer ? Tu veux me déshonorer ? Sans moi, tu vas prendre un mauvais coup, c'est certain.

– Tais-toi et écoute. Tu as des amis parmi les auxiliaires arméniens ?

– Oui. Moi, je n'ai pas épousé une princesse, mais enfin, j'aime bien les Arméniennes. Une en particulier…

– Alors, tu restes ici et tu veilles à ce qu'ils me demeurent fidèles. Quoi qu'il arrive.

Le Borgne examine attentivement son capitaine.

– Toi, tu as un mauvais pressentiment. Rien ne t'oblige à te mettre aux ordres de ce moine de malheur. Tu crois que Thibault, je veux dire, l'autre Thibault, l'aurait fait ?

– Je ne sais pas. Mais Turpin d'Étampes n'aurait pas hésité, j'en suis certain.

Le Borgne se prend la tête dans ses mains et gémit.

– Pardonne-moi, messire. Il m'arrive de ne plus savoir qui tu es, ni même de me rappeler qui j'ai été.

– Tu parles bien, compagnon, pour un bûcheron devenu bandit.

Thibault lève les yeux vers le donjon de la citadelle. Dans l'une des ouvertures s'est encadrée la fine silhouette d'Arda, son épouse. Jamais, peut-être, il n'a été aussi impressionné par sa beauté. Elle a un petit geste de la main, qui, soudain, lui glace le cœur. Il y voit comme un adieu.

– En avant ! crie-t-il.

Et, les Templiers en tête, la troupe s'ébranle. Le dernier, Thibault franchit la grand-porte. Il jette un ultime regard vers le donjon. Toutes les fenêtres sont désespérément vides.

Pour atteindre la vallée où les Turcs sont censés avoir installé leur campement, il faut franchir l'Euphrate. En cette période de l'année, les eaux sont encore hautes et le gué est étroit. Les Francs doivent s'y engager pratiquement un par un. Les chevaux hésitent, les fantassins ont de l'eau à la taille.

Thibault, les Templiers et une dizaine de chevaliers parviennent à la grève opposée avec l'avant-garde. Les hommes d'armes pataugent dans le lit du fleuve, tandis que le reste de la troupe piétine encore sur l'autre rive.

Subitement, une volée de flèches, jaillie des buissons et des rochers environnants, s'abat sur l'arrière-garde, qui se débande. Une partie bat en retraite sur le chemin qui l'a amenée. L'autre se rue dans le fleuve, bousculant ceux qui le franchissent. Beaucoup perdent pied et sont emportés.

C'est alors que sur les Francs qui viennent de traverser fondent les cavaliers turcs, leurs courtes lances au poing. Ils n'ont ni le temps ni l'espace pour tenter une contre-attaque. Ils doivent subir la charge à l'arrêt et sont impitoyablement surpassés.

– Trahison ! Trahison ! hurle Bernard de Sommières, avant de s'effondrer, la poitrine traversée d'un épieu.

La mêlée devient confuse et les armes blanches se substituent aux lances. Horrifié, Thibault de Cercy voit ses fantassins piétinés par les chevaux. Ses chevaliers et les Templiers tombent les uns après les autres.

Il se bat comme un forcené, mais l'évidence s'impose à lui. On le harcèle de tous côtés, pourtant, aucun coup direct ne lui est porté : les guerriers turcs ont visiblement reçu la consigne d'épargner sa vie. Bientôt, seul survivant de sa troupe, il se trouve encerclé par des cavaliers qui ne font qu'esquiver quand il tente encore d'attaquer. Son cheval chancelle d'épuisement sous lui.

Alors, Suliq Bey s'avance. Il a remis son sabre au fourreau et retiré son casque. À ses côtés se tient le maronite.

– Voici ce que dit l'émir : Tu m'as accordé la vie et la liberté. Je les ai acceptées comme une souffrance. Accepte-les de ma part, sans haine et sans orgueil. Donne-moi ton épée.

Thibault saisit son arme à deux mains et, d'un geste rageur, la brise sur le pommeau de sa selle, avant d'en laisser tomber les tronçons à terre. Un grondement court dans les rangs des Turcs, que Suliq Bey éteint de quelques mots.

– Il a dit : Respectez ce brave, explique le maronite, qui ajoute : Pardonne-moi, messire, si je t'ai trahi. Je ne suis qu'un pauvre homme, ma vie vaut bien la tienne. Un moment, j'ai cru en toi ; je m'étais trompé. Tu ne seras jamais que de passage ici.

Thibault regarde le champ de bataille. Combien ont pu battre en retraite ? Combien ont été emportés par le fleuve ? Une trentaine de corps gisent sur la grève. Les Templiers, reconnaissables à leur cape blanche, des chevaliers, fidèles à leur parole donnée à Turpin d'Étampes sur son lit de mort, et certainement quelques Compagnons de la Sainte Croix, ses anciens complices en brigandage dans la forêt de Cercy.

– Viens ! insiste le maronite. L'émir ne veut pas s'attarder ici.

– Où m'emmène-t-il ?

– Si j'ai bien compris, il va te conduire à Sivas, là où réside le grand Kilij Arslan. Tu es vivant alors que le sultan avait demandé qu'on lui rapporte ta tête.

CHAPITRE XI

Vaincu à plusieurs reprises par l'avance des croisés, et repoussé par la contre-attaque byzantine qui a suivi, Kilij Arslan s'est réfugié à Sivas, au centre du haut plateau de Cappadoce ; la cité appartient à un émir turc qui n'a pas pu faire autrement que d'accueillir son suzerain.

Le sultan ne réside pas dans la ville, mais dans un camp fortifié, à quelque distance. Les retranchements de terre, surmontés d'un mur crénelé en brique crue, rappellent cruellement à Thibault le piège de Civitot où ont été massacrés les pauvres gens de la première, de la vraie croisade à ses yeux.

Dès qu'il franchit la porte creusée dans le talus, il se rend compte qu'il pénètre dans un univers absolument étranger. Des tentes ! une multitude de tentes ! Des plus humbles, où s'entassent les soldats, jusqu'à de véritables palais de toile et de feutre, au sommet desquels flottent des oriflammes.

Thibault a connu les campements des croisés pendant

leur longue marche à travers l'Anatolie. Comparé à ces abris sommaires de soldats en campagne, le camp de Kilij Arslan est somptueux. Observant l'expression étonnée de son prisonnier, Suliq Bey prononce quelques mots à son adresse. Le maronite traduit immédiatement :

– L'émir dit que les Turcs n'aiment guère s'enfermer à l'intérieur de murs de pierre comme le font les Arméniens et les Francs. Ils n'oublient pas qu'ils étaient des nomades ; ils préfèrent le vent de liberté qu'on respire sous les tentes.

– Les nomades sont aussi des pillards qui ruinent les honnêtes gens attachés à leur terre.

Le traducteur se racle la gorge à plusieurs reprises avant de transmettre la réponse. Suliq Bey se contente d'un léger sourire.

– Il semblerait qu'en matière de pillage les croisés n'ont rien à apprendre des Turcs. Quoi qu'il en soit, tu es mon hôte sous ma tente et tu es libre d'aller comme bon te semble dans le camp – à la condition de ne pas t'en échapper sans mon consentement.

– Tu as ma parole.

– Ta parole de chevalier ?

– Ma parole d'homme libre.

Thibault a une pensée fugitive pour le père Tersissius, qui aurait peut-être apprécié la subtilité de la réponse. L'émir a un nouveau sourire pour montrer qu'il n'est pas dupe.

Le camp est une véritable ville, avec ses rues, ses ruelles, ses places et ses quartiers. Celui où réside le sultan est situé sur le point le plus élevé, là d'où vient le vent dominant. Il évite ainsi les bruits et les odeurs que laisse échapper cet amoncellement d'hommes et de bêtes. Il en est de même pour le lieu de prière, où les dignitaires viennent plusieurs fois par jour faire leurs dévotions. À quelques reprises, Thibault a tenté de s'en approcher. Les gardes se sont contentés de croiser leurs lances et il n'a pas insisté. Sa prétendue liberté s'arrête là.

Suliq Bey lui a réservé une sorte de chambre, isolée par des tentures de toile, où une vieille femme lui sert ses repas et lui apporte des jarres d'eau de manière qu'il puisse se laver. Le temps passe, sans que rien de nouveau ne semble pouvoir advenir.

Un matin enfin, alors qu'il arpente le talus de terre dans le seul but de marcher, Thibault voit venir vers lui un curieux individu, accompagné de deux guerriers turcs. Le bonhomme, tout en rondeurs, est vêtu à la turque, mais sa barbe rousse et ses yeux bleus surprennent sous son turban. Dans ce parler roman un peu chantant que Thibault a déjà entendu dans la bouche de Tancrède et des Normands de Sicile, il l'invite aimablement à le suivre.

Le temps de traverser le camp, Thibault apprend que, trente ans plus tôt, l'homme avait fait campagne avec Roussel de Bailleul, un aventurier normand qui avait tenté de se tailler un royaume en Cappadoce. Fait prisonnier en même temps que son maître, il avait eu la vie sauve grâce à ses talents de cuisinier. Il avait très rapidement appris le turc et était maintenant, en quelque sorte, majordome-interprète auprès du sultan. Lequel sultan désirait voir immédiatement le chevalier de Cercy.

Après qu'ils eurent franchi un nombre incalculable de portières et soulevé autant de tentures, Thibault est admis dans une large chambre de toile dont le velum laisse pénétrer la lumière. Des tapis et des coussins aux couleurs flamboyantes jonchent le sol. Dans un vase, un opulent bouquet de fleurs répand un parfum lourd. Quelque part, invisible, un instrument à cordes égrène une musique discrète.

Les jambes prises dans ses bottes, engoncé dans son haut-de-chausses et son justaucorps de cuir, Thibault se sent tout à coup grossièrement déplacé dans ce décor.

Kilij Arslan est devant lui, ce monstre qu'il n'a cessé de haïr depuis qu'à Civitot… Et, lui faisant face, il ne voit qu'un frêle jeune homme, certainement moins âgé que lui-même, nu-tête et simplement vêtu d'une tunique et d'un pantalon de lin blanc. La mince ligne de barbe noire qui souligne sa mâchoire ne parvient pas à durcir un visage à la beauté presque féminine.

– Tu parles le grec ?

– Oui.

– Dans ce cas…

D'un geste bref, il renvoie le majordome-interprète et les deux gardes.

– Assieds-toi, dit-il en montrant du doigt un tabouret de bois.

Négligeant le siège, Thibault s'installe souplement sur un tapis, les jambes croisées, comme le lui a appris Arda. Sans manifester de surprise, le sultan fait de même.

– Habituellement, déclare-t-il, je ne fais pas de prisonniers.

– Peut-être n'as-tu pas souvent l'occasion d'en faire. Sauf s'il s'agit de femmes et d'enfants.

Kilij Arslan feint de ne pas remarquer l'agressivité de son interlocuteur.

– Que veux-tu dire ?

– Le temps a passé. Tu as sans doute oublié ce qui s'est produit, par ton ordre, à Civitot.

– Non, je n'ai pas oublié. En quoi cela peut-il t'importer ? Ce n'étaient que des gueux.

– J'y étais, et j'étais l'un d'entre eux.

– Ah ! C'est étrange, quelqu'un m'a parlé…

Le sultan secoue la tête, comme pour chasser de son esprit ce qu'il allait dire. Puis il reprend d'un ton posé :

– Tu as pris Mélitène par traîtrise, mais tu l'as gouvernée sagement jusqu'à ces derniers jours. Tu as rendu la liberté à mon cousin Suliq Bey, qui plaide constamment en ta faveur. J'ai donc décidé de t'accorder la vie, alors que mon devoir de croyant serait de te faire trancher la tête.

– Je suppose que je dois me prosterner devant toi pour t'en remercier.

– Ce n'est pas nécessaire. Je t'offre de choisir toi-même ton destin.

Sans doute pour marquer l'instant de solennité, Kilij Arslan frappe dans ses mains et un serviteur vient déposer sur le tapis un plateau chargé de deux bols de thé fumant. Le Turc prend le temps de boire quelques gorgées et poursuit :

– Si tu le souhaites, tu peux, secrètement et seulement devant moi, abjurer ta foi en échange de la mienne. À ce prix, tu demeureras seigneur de Mélitène.

– Je refuse.

– Pourquoi ? Tu es tellement attaché à ta religion ?

– Justement non. Je suis trop peu croyant pour échanger un dieu contre un autre. Mon abjuration n'aurait aucune valeur.

Le mahométan a une lueur d'étonnement dans les yeux.

– Quel homme es-tu donc ? Tu ne crois pas en Dieu ?

– Bien sûr que si. Quelle que soit la manière dont on le prie et dont on l'honore, il existe, c'est certain. Mais je ne pense pas qu'il souhaite le bonheur des hommes. Il suffit d'observer ce que les hommes font en son nom.

Cette fois, le sultan ne peut maîtriser un sursaut d'indignation.

– De telles paroles valent chez vous le bûcher et chez nous la lapidation ! Si tu as si peu confiance en ton Dieu, pourquoi es-tu venu ici ?

Thibault se sent soudain très las. Toujours ces mêmes questions : pourquoi es-tu ici ? Pourquoi fais-tu cela ? Pourquoi existes-tu ? Il se contente de sourire.

– As-tu jadis été esclave, serf ou bandit ?

– Quelle idée ! Évidemment non !

– Alors, tu ne peux pas comprendre.

Kilij Arslan renonce à poursuivre la discussion.

– En fait, je crois que tu es fou. Cependant, voici ma deuxième proposition : je te rends immédiatement ta liberté si tu me jures, toujours sans autre témoin que moi, que pendant trois ans tu renonces à tout pouvoir en ce pays et à prendre les armes contre l'islam.

– Pourquoi trois ans ?

– Parce que dans trois années, nous vous aurons vaincus et aurons repris les terres que nous avons conquises avant vous.

– Tu es aussi fou que moi. Qu'est-ce qui te garantit que je tiendrai parole ?

– Je t'ai regardé, je t'ai écouté. Cela me suffit.

Thibault de Cercy, baronnet d'Étampes, se lève lentement. Le sultan fait de même. Un long moment, ils restent face à face : le chevalier d'aventure et le prince de haute lignée, égaux l'espace d'un instant.

– Je te le jure, dit Thibault.

CHAPITRE XII

Kilij Arslan a mis deux jours avant de procurer à Thibault le sauf-conduit qu'il lui a promis et qui doit assurer sa sécurité en territoire turc. C'est le major-dome sicilien qui le lui remet, avec autant de solennité que s'il s'agissait d'un texte sacré. Après avoir jeté des regards suspicieux autour de lui, il revient vers le jeune homme.

– J'ai un autre message pour vous, messire. Ne partez pas tout de suite. Quelqu'un a demandé à vous rencontrer ce soir, en secret.

– Pourquoi tant de mystères ? Qui veut me voir ?

– Quelqu'un… Je viendrai vous chercher, mais pour l'amour du vrai Dieu, n'en dites rien à personne : je risque ma tête.

Dans un premier temps, Thibault est tenté de ne pas tenir compte de ce mystérieux rendez-vous et d'aller immédiatement informer Suliq Bey de son départ. Puis la curiosité l'emporte, et il décide de le reporter au lendemain.

Alors que le soir tombe, le Sicilien réapparaît, visiblement effrayé par le rôle qu'il joue, sans doute contre son gré. Selon un itinéraire compliqué, il conduit le chevalier jusqu'à un ensemble de tentes, à la limite même du quartier du sultan. Il lui ouvre l'une d'entre elles en lui faisant signe d'attendre. L'espace, assez exigu, n'est éclairé que par une lampe à huile posée sur un guéridon.

L'attente est de courte durée, jusqu'à ce que la portière d'entrée se soulève. Avant qu'elle ne retombe, Thibault a le temps de distinguer une silhouette féminine, vêtue d'une longue robe turque, la coiffure et le visage dissimulés d'un voile. La lumière est tellement faible que chacun ne fait que deviner l'autre. La femme prend aussitôt la parole :

– Chevalier de Cercy, j'ai appris que vous étiez prisonnier ici. Je désire vous poser une question.

Thibault sursaute. Ce parler roman, teinté d'accent du nord, cette voix légèrement enrouée, ce ton décidé, sinon autoritaire… De toute sa volonté, il repousse la folle pensée qui le submerge. La voix poursuit :

– Vous ne pouvez pas savoir qui je suis, mais moi, je vous connais. Qu'est devenu Mathieu, l'écuyer qui vous servait lors du grand pèlerinage ?

Cette fois, Thibault se précipite sur la lampe, la soulève et la brandit devant lui, éclairant ainsi son propre visage. La femme pousse un cri.

– Mathieu ! Mathieu Boveret !

En deux pas, il est contre elle et, d'un geste brusque, arrache le voile. Ces cheveux de braise, ces yeux si verts !

– Madeleine, dit-il dans un souffle, Madeleine !

Un long moment, ils demeurent face à face, incapables l'un et l'autre de prononcer un mot.

– Je te croyais disparue à jamais, finit-il par dire.

– Moi, je t'imaginais pourfendu d'un grand coup d'épée sur un champ de bataille. Et te voilà devenu chevalier de Cercy. Tu en as même la balafre, s'étonne-t-elle, en effleurant sa joue du doigt. Me voilà rassurée.

– Mais toi, Madeleine, comment…

-Écoute, Mathieu, nous n'avons pas le temps. Tu es en vie, je le suis aussi, voilà qui doit nous suffire. Je vais m'en aller.

Brutalement, Thibault la saisit par les épaules.

– Je ne veux pas te perdre une nouvelle fois. Je suis libre de partir quand je le désire. J'ai un sauf-conduit du sultan. Je t'emmène avec moi.

– C'est impossible.

– Mais pourquoi ? Une esclave franque de plus ou de moins dans ce camp, qui s'en inquiétera ?

Madeleine a ce petit rire insolent qui le faisait tant souffrir, il y a si longtemps : lorsque, pour sauver ses chevreaux, elle avait contraint le pauvre écuyer qu'il était alors à jouer les justiciers.

– Tu n'as pas changé. Tu as toujours du mal à comprendre ce qui t'arrive et ce qui arrive aux autres. Tu es maintenant chevalier, et même baronnet, m'a-t-on dit. Eh bien moi, je suis depuis deux ans l'épouse favorite du sultan Kilij Arslan. De mon plein gré.

Thibault repose la lampe sur son support et recule dans l'ombre. La jeune femme n'est plus qu'une silhouette dans la pâle lumière de la portière qu'elle a soulevée.

– Suis ta destinée, chevalier, comme je vais suivre la mienne. Je ne t'oublierai pas, Mathieu Boveret.

Elle porte la main à son cou et en détache un mince lacet.

– C'est la croix de ta sœur, tu te souviens ? Le temps est venu que je te la rende.

Elle dépose le petit crucifix de buis dans la main de Thibault en évitant que leurs doigts ne se frôlent.

– Adieu, beau chevalier ! Ah ! Un mot encore : tu avais vu juste, je m'appelais vraiment Madeleine.

La tenture retombe, faisant vaciller la flamme de la lampe.

Le lendemain matin, c'est un homme sans volonté que Suliq Bey entraîne vers Antioche, en évitant soigneusement les territoires tenus par les croisés. Le maronite est là, fidèle à son rôle d'interprète. À plusieurs reprises, l'émir a tenté, mais sans succès, de nouer une conversation. Il finit par sortir de son calme habituel.

– Au nom d'Allah, chevalier, regarde-moi et écoute ce que j'ai à te dire !

– Je t'écoute.

– Le sauf-conduit du sultan t'interdit de pénétrer dans le comté d'Édesse et de te rendre à Mélitène. As-tu là-bas un homme de confiance qui puisse assurer à ta femme que tu es en vie et banni pour trois ans, mais surtout qui puisse te rejoindre en chemin avec ton trésor de guerre ? Tu en auras besoin.

– Oui. Mon écuyer.

– Comment se nomme-t-il ?

– Je ne lui connais pas de nom, ni personne. Pour tous, il est le Borgne.

– Cela suffira. J'ai les moyens de le prévenir et de le faire accompagner jusqu'à la frontière de la principauté chrétienne d'Antioche, où il te rejoindra.

Cela te convient-il ?

– J'accepte de m'éloigner de la Terre sainte, mais pourquoi ne puis-je pas emmener avec moi mon épouse et mon fils ?

Suliq Bey hoche longuement la tête avant de répondre, du ton d'un adulte qui tente de se mettre à la portée d'un enfant :

– Tu es encore naïf, Thibault de Cercy. Constantin de Gargar, ton beau-père, ne te laisserait pas partir et tenir ta promesse. Je donne ma tête à couper qu'à cet instant il est le maître de Mélitène. Allons ! Trois ans, à ton âge, ce n'est qu'une poussière du temps. Contrairement à ce qu'affirme Kilij Arslan, dans trois ans, tu auras encore ta place dans ce pays.

À petites étapes, Thibault et son escorte ont atteint la cité de Mazarbé, à l'extrême limite de la principauté d'Antioche, tenue par Bohémond de Sicile. Trois jours plus tard, ils y sont rejoints par une caravane d'Arméniens, escortée de soldats turcs. Sous son bonnet de feutre, la trogne du Borgne fait plaisir à voir, tellement il est heureux.

– Sacredieu, messire ! Tout le monde pensait que tes os étaient déjà en train de se dessécher sur les bords de l'Euphrate. Moi, je ne voulais pas y croire.

– Comment vont les choses à Mélitène ?

– Bah ! Dans le principe, c'est le connétable qui est le gouverneur ; en réalité, c'est Gargar et ses bonshommes qui font la loi.

– Et Arda, ma femme ?

– Elle se mourait de chagrin. Je l'ai un peu ressuscitée en lui apprenant que tu étais en vie. Excuse-moi, messire, mais elle est trop belle pour que tu l'oublies. Par ailleurs, j'ai sur les bâts de mes mulets de quoi nous tenir, toi et moi, à l'abri du besoin pendant quelque temps.

Avant de repartir vers le nord, Suliq Bey a serré Thibault dans ses bras.

– Tu m'as laissé ma liberté ; j'ai sauvegardé la tienne. Tu es mon frère. Ni le Christ ni Allah n'y pourront rien changer. Tu reviendras, Cercy, tu reviendras.

Le port d'Alexandrette est encombré d'une multitude d'embarcations qui se disputent les espaces libres à l'accostage. Depuis que les croisés francs occupent le Levant, il semble que tout ce qui navigue sur la Méditerranée se soit donné rendez-vous en ce lieu pour importer, exporter, transporter.

Sur les quais, c'est une cohue de marins et de marchands génois, vénitiens, grecs, byzantins et même barbaresques qui s'interpellent, s'insultent ou se congratulent dans un étrange sabir qui mêle toutes les langues. Le Borgne s'y montre parfaitement à l'aise. Après avoir disparu une journée entière, il rejoint Thibault dans une auberge où ils ont pris leurs quartiers. Il a l'air fort satisfait de lui-même.

– Ça y est, messire, j'ai vendu les chevaux, les mules et quelques bricoles. Avec ce que j'en ai tiré, j'ai réservé nos deux passages sur une galère génoise en direction de Constantinople. Elle lève l'ancre demain matin au lever du soleil.

– Qu'as-tu gagné dans ce marché ?

– Rien, ou pas grand-chose. Tous des voleurs ! S'il y a un dieu dans ce foutu port, c'est celui de l'or et de l'argent.

Devant le manque de réaction du chevalier, le Borgne finit par s'énerver :

– Bon Dieu, Thibault ! Qu'est-ce que tu veux exactement ? Crever ici, avec tes souvenirs et tes fantômes ? Ou essayer autre chose ? Je ne sais pas, moi : une croisade en sens inverse !

Thibault de Cercy se lève enfin et, dans un élan qui lui est bien peu coutumier, serre son écuyer dans ses bras.

– Merci, le Borgne. Je te l'ai déjà dit : tu es ma conscience. Repartons en croisade.

CHAPITRE XIII

Par un matin d'avril de l'an mil cent deuxième depuis la Nativité, la *Felicia*, une petite galère de commerce génoise, double les môles du port d'Alexandrette et s'élance vers la haute mer. La voile carrée à larges bandes bleues et blanches se gonfle sous le vent de terre. Les avirons sont tirés à bord et rangés sous les bancs de nage. Les deux tiers des rameurs se lèvent pour se disperser sur le pont ou aller vers les cales. Les autres demeurent à leur place, une cheville entravée à de longues barres de fer. Une cruche d'eau, apportée par un garde-chiourme, passe de main en main.

La désapprobation qui marque le visage de Thibault n'échappe pas à son écuyer.

– C'est justice, messire. Ceux que tu vois là sont tous des voleurs ou des assassins, sans compter les maudits païens qui ont craché sur la sainte Croix et sur les Évangiles.

– Et toi, vieux brigand, tu n'as jamais craché sur le croissant et sur le livre Coran ?

– Si fait, messire, ainsi que tout bon chrétien doit
le faire.

– Alors, prie le dieu des chrétiens que nous ne
soyons pas attaqués par des pirates barbaresques.
Car nous aurions tôt fait de prendre la place de ces
pauvres bougres.

Le Borgne n'a pas le temps de méditer sur cette
éventualité. Il est saisi d'une autre préoccupation.

– Thibault ! La terre est à peine visible derrière
nous. Et devant, il n'y a rien, rien que de l'eau ! Comment le capitaine peut-il savoir où le vent nous mène ?

– Il se guide d'après le soleil, et la nuit, d'après les
étoiles. Mais tu es bien pâle. Tu es malade ?

– Je ne suis pas malade, j'ai peur !

Une brève escale à Carpas, sur l'île de Chypre,
puis, d'île en île, Rhodes, Chio, Lesbos, la *Felicia*
atteint la mer de Marmara. Après vingt jours de
navigation, elle accoste un des nombreux quais de
Constantinople.

Suivis de portefaix chargés de leurs bagages,
Thibault de Cercy et son écuyer se rendent directement à la demeure du prélat byzantin qui héberge le
père Tersissius, espérant que ce dernier soit toujours
de ce monde.

Non seulement le vieux moine est en vie, mais il

semble jouir d'une santé florissante. Il a pris de l'embonpoint et a troqué sa bure élimée contre une ample robe patriarcale qui, sans être luxueuse, rassure quant à ses moyens d'existence.

Dans sa joie de retrouver les deux anciens croisés, il va jusqu'à embrasser le Borgne sur les deux joues.

– Thibault ! Ah, Thibault ! Quel bonheur de te revoir. J'ai eu quelques échos de tes aventures. Je craignais que ce diable de Kilij Arslan ne t'ait occis, ou que tu ne te sois fait mahométan – ce qui aurait été un moindre mal. Dieu que je suis heureux !

Puis, reprenant une contenance plus digne du philosophe qu'il prétend être devenu :

– Les voyages en mer sont éprouvants. Allez vite faire quelques ablutions, et rejoignez-moi dans mon appartement. On allait justement me servir mon dîner.

Il frappe dans ses mains et surgissent aussitôt deux serviteurs. Ceux-ci, par leur empressement, témoignent de l'importance que le bonhomme a prise dans la maison.

Après avoir rapidement mais abondamment fait honneur au menu, le Borgne demande quartier libre.

– Vous comprenez, tente-t-il d'expliquer, j'ai en ville quelques amis qui seraient heureux de…

Tersissius l'interrompt d'une bourrade.

– Va-t'en au diable, mauvais larron ! Tu lui es promis depuis ta naissance. Ce n'est pas la croix dont tu t'es affublé un jour qui lui fera lâcher prise.

– C'est faux ! Mes péchés passés et à venir m'ont été remis par notre sainte mère l'Église.

– Dans ce cas, va en paix, mon fils.

Il faut que la nuit soit fort avancée pour que la curiosité du moine soit apparemment satisfaite. Pourtant, comme s'il lisait dans les pensées de son disciple, il insiste :

– Toi, tu me caches quelque chose. Raconte-le-moi. Sinon, je serai obligé de t'entendre en confession.

Alors, Thibault raconte sa rencontre avec Madeleine dans le camp de Kilij Arslan, et Tersissius l'écoute en silence, marquant seulement son attention par quelques hochements de tête entendus. Et quand le jeune homme se tait :

– Vois-tu, Thibault, si j'étais un de ces ânes baignés d'eau bénite, je te dirais : tout est dans l'ordre. Cette fille aux yeux de chat suivie de ses bouquetins aux sabots fourchus était une créature du démon, lequel n'attendait que de la jeter dans les bras d'un mahométan. Mais moi, je te dis : elle a suivi sa destinée, comme tu as suivi la tienne. Ces destinées n'empruntaient pas le même chemin, voilà tout. En souffres-tu, Thibault ?

– Oui. Moins de l'avoir perdue, cependant, que d'avoir perdu Mathieu Boveret, qui l'aimait vraiment.

Tersissius s'enferme un instant dans ses pensées, pour en sortir avec un petit rire.

– Dans la bibliothèque du basileus, dont j'ai la charge, on trouve des livres étranges. L'un d'eux m'a appris que dans l'Orient lointain des gens croient qu'on ne meurt pas, mais qu'on renaît indéfiniment sous des apparences différentes. Cette idée me plaît bien.

– C'est absurde !

– Pas tellement. La bergère rousse est morte pour devenir sultane ; le serf toucheur de bœufs est noble baronnet. C'est peut-être cela le miracle des croisades.

– Vous blasphémez, mon père !

– Sans doute ; mais depuis quelque temps, j'y trouve un certain plaisir. Bon ! Il se fait tard. Demain, nous déciderons de l'avenir du sieur de Cercy.

– Raisonnons, dit Tersissius en se frottant les mains dans la perspective de son exercice préféré.

Trois solutions te sont proposées, mon garçon.

« *Primo*, tu retournes immédiatement là d'où tu viens. Ta femme, ton fils et ton fief t'y attendent. Tu reprends ta croix, et tu persistes à pourfendre les infidèles, sans tenir compte de ton serment.

« *Secundo*, tu demeures ici, à Constantinople. Par l'intermédiaire du patriarche, dont j'ai l'estime, tu obtiens une charge civile ou militaire à la cour du basileus – ce qui n'aurait rien de désagréable, tu peux m'en croire.

« *Tertio*, tu prends le premier navire vénitien ou génois en partance pour les terres d'Occident ; pour vérifier s'il est aussi facile d'être chevalier de Cercy en Bourgogne que ça l'est en Palestine.

« Ton destin est à la croisée des chemins. Qu'en dis-tu ?

– Voilà des jours et des jours que ces trois idées me tournent dans la tête.

– Ah bon !

Tersissius semble un instant dépité. Puis il se reprend.

– Et bien sûr, tu n'as pas choisi.

– Non.

– Alors, il va falloir que je le fasse pour toi. La première solution est impensable. Tu as donné ta parole.

– À un ennemi ! Un mahométan, un homme que je hais et qui…

– Justement ! Tu as sauvé ta tête : c'est bien, mais il ne faut pas que ce soit au prix de l'estime que tu as de toi.

Thibault incline le front et, impitoyable, le moine continue :

– Une vie dorée à Constantinople… Tu en es capable. Tu y gagnerais en intelligence et en savoir, mais tu y perdrais le bijou que t'a légué Mathieu Boveret.

– Quel bijou ?

– Son innocence, Thibault de Cercy.

– Alors, tout est dit.

– Oui, tout est dit. Après-demain, un navire appareille pour Gênes. J'y ai déjà fait réserver ton passage et celui de ton écuyer.

Le vieil homme prend les mains de Thibault dans les siennes.

– En partant pour la croisade, tu as eu le courage des ignorants. Maintenant, tu sais où tu vas. Il n'y a pas pire chose, et cependant plus merveilleuse, que de savoir.

CHAPITRE XIV

À quelques lieues du bourg de Lizy, Thibault et le Borgne aperçoivent enfin une faible lueur qui filtre des fenêtres du relais-auberge des Petites Bordes. La soirée d'automne se noie dans l'obscurité mouillée d'un lourd crachin bourguignon.

– Sacredieu, bougonne l'écuyer courbé sur l'encolure de son cheval, je suis trempé jusqu'aux os ; j'aimais encore mieux me griller le cuir dans les cailloux d'Anatolie !

Après presque trois mois de voyage en mer, entrecoupé de multiples escales, ils ont chevauché pendant des semaines depuis Gênes, pour remonter la vallée du Rhône et celle de la Saône, jusqu'à atteindre enfin les monts du Nivernais.

L'aubergiste a été immédiatement impressionné par la bonne allure des voyageurs et par la qualité de leur équipage. En particulier par les deux coffres arrimés sur le cheval de bât. Il a jeté un coup d'œil rapide sur la croix cousue à la manche de ses hôtes.

– N'importe qui s'en affuble de nos jours. Mais vous, on voit bien que vous revenez de là-bas.

– Et à quoi vois-tu ça ?

– Sauf votre respect, à l'entrée de l'hiver, les Morvandiaux n'ont point cette couleur de visage qui vous ferait bien passer pour des Sarrasins. Sauf votre respect.

Alors qu'il leur sert le souper, le bonhomme s'enquiert :

– Sans curiosité de ma part, où vous rendez-vous donc ?

– Au manoir de Cercy.

– Ah !… Il faudra traverser la forêt. Mais vous n'avez plus rien à craindre. Les brigands qui l'infestaient s'en sont sauvés il y a quatre, voire cinq ans. On ne sait plus guère. On dit qu'ils se sont faits pèlerins pour Jérusalem. Ma foi, s'ils ont pu ainsi sauvegarder leur âme… Je me souviens bien d'eux, et surtout de leur chef, le balafré. Celui-là n'était pas un bandit comme les autres.

Afin de déposer le plat où fume un ragoût de mouton aux pois blancs, l'aubergiste déplace la chandelle. La lumière de celle-ci frappe en plein la cicatrice cruciforme sur la joue droite de Thibault.

– Ah ! Sainte Vierge ! s'écrie l'homme.

Il tombe à genoux et saisit la main du chevalier pour la baiser.

– Vous n'en avez sûrement pas souvenance. Mais moi, je me rappelle. Un jour, j'avais acheté à la foire de Clamy une futaille de vin bourguignon. Il me fallait traverser la forêt de Cercy. Ça n'a pas manqué : ils m'ont sauté dessus. J'étais déjà plus mort que vif quand vous êtes survenu, comme l'archange Gabriel. Vous m'avez laissé la vie et ma futaille.

– Et voilà, commente l'écuyer. Une futaille de perdue ! Ça ne m'étonne pas de vous, messire, enfin... de l'autre. Évidemment, ce jour-là, je devais être ailleurs. L'archange Gabriel !

L'aubergiste repart vers la cuisine et en ressort avec une tourte au fromage encore fumante.

– Bien sûr, vous êtes revenu pour la cérémonie.

– La cérémonie ?

– Vous devez bien savoir... Le sieur de Cercy, votre aîné, vient de rendre l'âme. Il était malade depuis longtemps, puis quelque chose s'est rompu dans les entrailles. On le met en terre après-demain.

Thibault entend distinctement la voix du père Tersissius : « Le destin, mon fils, le destin ! »

– Et sa dame ? Dame Guermande ?

– Ah ! La dame que vous… Enfin qui… Il y a bien longtemps que personne ne l'a plus aperçue. Un couvent à Nevers, selon ce qu'on dit.

Dans la soupente où on a établi le couchage des deux voyageurs, Thibault se tourne et se retourne en faisant craquer la paille de son matelas. D'une voix ensommeillée et presque paternelle, son écuyer murmure :

– Dors, messire, dors. Tout est simple : demain, tu seras seigneur de Cercy, ou pendu. Et moi avec. Allez, dors.

Le lendemain, au cœur de la forêt de Cercy, là où le chemin s'encaisse entre deux talus, le Borgne arrête sa monture.

– C'est ici qu'on s'est rencontrés, Thibault. Du moins, c'est ici que ma massue a rencontré ton crâne. Quand je pense que j'aurais pu te tuer ! Tu te rends compte ! Nous avons vécu des jours et des jours mussés comme des renards dans ces taillis. Et nous voici, respectables chevalier et écuyer. Vive la croisade !

N'entendant pas de réponse, le respectable écuyer jette un coup d'œil à son compagnon.

– Qu'est-ce qu'il y a, Thibault ? On dirait que tu viens de voir un fantôme.

– Nous n'y allons pas, le Borgne. Nous n'allons pas au château de Cercy.

– Allons bon ! Et pourquoi donc ? Tu as peur ? Le sire de Cercy, baronnet d'Étampes et seigneur de Mélitène, a peur ?

– Je n'ai pas peur. Je ne veux pas me livrer à cette duperie, c'est tout. Je ne suis pas Thibault de Cercy, je suis Mathieu Boveret, serf et propriété du sire de Vaugremont, en Auvergne.

– Bon Dieu ! Mais tu n'en finiras donc jamais ? Et moi ! Sais-tu au moins comment je m'appelle ?

– Non.

– Je n'ai pas connu mon père, mais ma mère et ma petite sœur m'appelaient Jacques.

Le Borgne a dit cela du ton qu'on a pour avouer un secret. Il met pied à terre, attache les rênes de sa monture à une racine, ainsi que la longe du cheval de bât.

– Descends, il faut qu'on cause.

Subjugué, le chevalier obtempère. Et, au milieu de cette forêt où ils se sont jadis terrés comme gibier aux abois, les deux hommes s'asseyent sur le talus jonché de feuilles mortes.

Le Borgne s'éclaircit la gorge pour aider les mots à en jaillir.

– Je suis toujours ta conscience ?

Malgré le haussement d'épaules qu'il obtient en réponse, il continue :

– Voilà ce que ta conscience te dit : ce qui t'est arrivé depuis que je t'ai à demi occis sur ce chemin ne peut s'être fait qu'avec le bon vouloir de Notre-Seigneur Dieu.

– Dieu se moque bien du vermisseau que j'étais et que je suis toujours.

– Tu fais la forte tête parce que ton moine philosophe t'a chamboulé la cervelle. Moi, je dis : il n'y a pas pire malhonnête que celui qui rechigne à accepter les cadeaux qu'on lui fait et les chances qu'on lui donne.

– Tu sais le risque que je cours ?

– Bien sûr, puisque j'y laisserai aussi ma tête. Elle vaut bien la tienne.

Thibault regarde son écuyer avec étonnement.

– Pourquoi fais-tu cela, Jacques le Borgne ?

– Pour me faire pardonner un coup de massue mal administré. Attends ! J'ai un autre argument.

– Où as-tu appris ce mot-là ?

– Toujours ce foutu moine. Thibault, tu te souviens des derniers mots de l'autre Thibault dans cette vallée d'enfer où il est mort et quand il t'a donné la bague que tu as au doigt ?

– Oui. Il a dit : « Je te donne mon nom, je te donne ma vie. Je te donne aussi mon tourment. »

– Et comment s'appelait ce tourment ?

– Guermande. Guermande de Cercy. Dorénavant je ne t'appellerai plus le Borgne. Tu es Jacques, mais tu es un monstre.

– C'est cela la conscience, messire baronnet.

Au sortir de la forêt, le château n'est plus qu'à une lieue, mais Thibault a préféré ne s'y présenter que le lendemain, au petit matin. Dans un hameau, le maréchal-ferrant a accepté de loger les voyageurs en plus du prix d'une ferrure pour leurs trois chevaux.

Thibault sent le sommeil le fuir. Comment va-t-il assumer le rôle de frère du baron défunt ? Il ne sait rien de lui. Rien de ce qui a été son enfance, sa famille, rien des lieux où il a vécu. Rien de son amour coupable pour Guermande. On ne peut pas être plus étranger qu'il ne l'est.

La voix fluette de Tersissius se mêle à ses pensées et l'emporte bientôt : « Thibault de Cercy, tu reviens de croisade. As-tu vu Jérusalem ? Qu'importe. Tu es seigneur de Mélitène, pourfendeur des mahométans. Tu as expié la faute marquée sur ta joue. Tu n'as à te justifier de rien. Toutes les questions qu'on pourra te poser sont des insultes à ton rang et à la bague que tu portes. Tu ne toléreras qu'un seul juge : Guermande de Cercy. »

CHAPITRE XV

Avant de rendre son âme sur le chemin de Nicée, dans la rocaille d'Anatolie, feu Thibault de Cercy n'avait jamais fait de confidences à Mathieu Boveret, son écuyer. En lui léguant son nom et son rang, il l'avait laissé dans l'ignorance de son passé.

Le peu que Thibault savait, il le devait à la rumeur et aux indiscrétions du Borgne. Le chevalier était devenu chef d'une bande de brigands après avoir été banni et marqué au visage par son frère aîné, fou de jalousie. Guermande, sa belle épouse, et le jeune Thibault auraient succombé à l'amour qui les attirait l'un vers l'autre.

Là-bas, sur le sol du Levant, dans l'aventure insensée de la croisade, Mathieu Boveret était devenu Thibault de Cercy, puis, plus tard, baronnet d'Étampes, sans autre formalité que l'accord et le témoignage de ses compagnons de guerre. La balafre infligée par le Borgne avait paraphé le contrat. Dans ces contrées lointaines, le passé de chacun était de moindre importance. Il n'en était certainement pas de même en terre de Bourgogne.

Enraciné au sommet d'une colline, comme taillé dans le schiste sombre, le château de Cercy a un aspect assez rébarbatif pour que le voyageur de fortune soit incité à passer au large. L'accueil des gardes à la poterne confirme bien cette impression. Ici, l'étranger n'est pas le bienvenu.

Pourtant, l'apparence déterminée des deux cavaliers et, peut-être, la croix sur leur manche les convainquent d'aller quérir leur chef. Celui-ci s'avance, l'air avantageux. Il jette un coup d'œil appréciateur sur le Borgne, reconnaissant sans doute en lui quelqu'un de son métier. Puis il s'approche de Thibault, qui a retiré son casque. Son regard se fixe sur la cicatrice en croix.

– Miséricorde ! s'écrie-t-il. Messire chevalier ! Vous, vous…

Ne parvenant pas à en dire davantage, il repart en courant vers l'intérieur. Thibault se penche à l'oreille de son écuyer.

– Je lui ressemble autant que ça ?

– Ma foi, messire, je crois avoir oublié le visage du premier Thibault. Ce soudard aussi, je suppose. Il n'a vu que la cicatrice. Ici, on a dû en jaser longtemps. En tout cas, je ne regrette pas mon coup de dague. Malgré la peine que cela m'a fait.

– À ceci près que c'était du mauvais côté.

– C'est possible. Et alors? On est en train de mettre en terre le seul qui aurait pu en jurer.

Le capitaine des gardes revient bientôt, accompagné d'un homme âgé aux allures d'intendant.

– Mille bonjour, messire. Prétendez-vous être le chevalier Thibault de Cercy ?

– Je ne le prétends pas. Je le suis.

– Dans ce cas, laissez vos montures aux gardes. Je m'en porte garant. Vous savez, je suppose, ce qui en cet instant nous préoccupe ?

– Oui.

– Et vous êtes venu, en cette occasion, pour…

– Oui.

– Dans ce cas, répète le bonhomme, veuillez m'accompagner. La cérémonie s'achève.

– Cette fois, ça y est, murmure le Borgne, en mettant pied à terre. Dans la gueule du loup. Dieu nous aide !

Dans la cour intérieure du château, le cortège funèbre sort de la chapelle pour se rendre jusqu'à l'enclos où se trouvent les caveaux des châtelains.

Le décès du seigneur de Cercy n'a visiblement pas soulevé une grande émotion dans la région, car ils sont bien peu à suivre la bière et le chapelain. Une trentaine tout au plus et, marchant à leur tête, une demi-douzaine de nobles hommes : des vassaux sans doute, qui n'ont pas pu se dispenser de cet ultime hommage à leur suzerain.

L'un d'entre eux, à la manière dont il précède les autres d'un pas, paraît s'accorder une certaine importance. C'est un homme corpulent, à la barbe arrogante. Pas plus que ses compagnons, il n'a remarqué les deux croisés qui se sont joints aux derniers rangs, après avoir rabattu leur capuchon sur leur front. Bientôt, tous font cercle autour du caveau ouvert, où le corps est descendu lentement. Le prêtre achève une dernière prière et une dernière bénédiction. On va replacer la dalle, lorsque l'homme à la barbe s'avance.

– Mes bons et féaux amis, le noble seigneur Girard de Cercy a rendu son âme à Dieu. Qu'elle repose en paix. Il tenait son fief directement du duc de Bourgogne. Il l'a gouverné avec sagesse et générosité. Vous, ses vassaux, pouvez en témoigner.

Quelques hochements de tête ambigus accueillent ces paroles, mais personne ne se risque à un commentaire. L'orateur poursuit cependant :

– Moi, Engibert de Montsauche, je prétends prendre possession de ce domaine, honneur que notre duc ne me refusera pas.

Cette fois, un murmure désapprobateur court dans l'assistance. Montsauche feint de l'ignorer.

– Par un grand-père commun, je suis le parent le plus immédiat du défunt. En effet, pour son malheur, il n'a point de descendance et aucun proche.

– Mensonge !

Suivi du Borgne, Thibault se fraie un passage jusqu'au bord du caveau et, à la stupeur générale, fait face au prétendu héritier.

– Mensonge, répète le chevalier. Le sieur de Cercy a une épouse, dame Guermande.

– Elle s'est faite none il y a huit ans.

– Pas de son plein gré. Il a aussi un frère cadet.

– Il est mort ! Disparu à jamais.

D'un geste brusque, Thibault rejette la courte cape qui recouvrait sa tête et ses épaules.

– Je suis le chevalier Thibault de Cercy, de retour de croisade.

Les exclamations jaillies de vingt gorges couvrent les cris du sieur de Montsauche :

– Félonie ! Imposture ! La garde, appelez la garde !

Dans le silence revenu, le chapelain se penche à l'oreille de l'homme.

– Messire, ne faites pas scandale dans ce lieu sacré. De plus, il n'est pas bon d'entamer une querelle devant les serviteurs et les manants.

Encore écarlate de colère, Montsauche fait signe aux vassaux indécis.

– Suivez-moi dans la grande salle. Vous aussi, ajoute-t-il en se tournant vers les croisés et le chapelain.

Les nobles hommes quittent le cimetière, laissant les autres face au tombeau encore ouvert. C'est le vieil intendant qui finit par donner l'ordre de soulever la dalle pour le refermer.

Tous se sont assis autour de la longue table, comme pour un banquet sans viandes ni boisson. À chaque extrémité, Montsauche et Thibault se font face, dans un étrange duel. Le Bourguignon attaque :

– Comment peux-tu prouver que tu reviens de Terre sainte ?

Thibault porte la main à la croix de sa manche.

– Cela ne suffit pas. N'importe qui peut l'arborer sans avoir jamais été à Jérusalem.

Le chevalier fait un signe à son écuyer, qui sort deux parchemins de sous sa cotte.

– Personne ne peut nier que le comte Turpin d'Étampes ne soit mort en Terre sainte. Voici les titres de baronnet dont il m'a honoré. Et voici la charte par laquelle Baudouin de Boulogne m'a nommé seigneur de Mélitène, en son comté d'Édesse.

Les documents passent de main en main. La plupart de ceux qui sont là ne savent pas lire, mais les noms cités impressionnent.

– Comment peux-tu prouver que tu es Thibault de Cercy ?

Le croisé se contente de désigner la cicatrice de sa joue et de dévoiler celle de son avant-bras.

– Le brigand de la forêt ! s'exclame un homme.

– Tu l'as connu avant qu'il ne soit chassé d'ici ? s'enquiert son voisin.

– Bien sûr.

– Et c'est bien lui ?

L'autre hésite.

– Je crois me rappeler qu'il était peut-être moins grand, moins large des épaules et de la mâchoire. Mais quand on revient de Palestine…

De colère, Montsauche frappe du poing sur la table et pointe le doigt vers son adversaire.

– Tu es familier de ce château, n'est-ce pas ?

– Évidemment.

– Alors, conduis-moi à l'oratoire de dame Guermande. On dit que tu le connaissais bien.

– Misère ! murmure le Borgne. Tersissius, au secours !

Ignorant l'allusion, Thibault prend l'assistance à témoin :

– Pourquoi moi, qui suis né ici, ferais-je visiter ma demeure à un rustre qui ne sait même pas ce qu'est un oratoire ?

Ne pouvant se contenir, deux ou trois hommes s'esclaffent d'un gros rire. L'écuyer décroise ses deux doigts, qu'il avait cachés sous la table. Sentant qu'il perd pied, Engibert tente un dernier assaut :

– Tu as été banni d'ici pour adultère !

– Celui qui m'a banni ne peut plus en témoigner, vous venez de l'inhumer. En revanche, tu viens d'insulter dame Guermande. Je t'en demande raison.

Du coup, les vassaux retrouvent intérêt au débat. Les commentaires fusent :

– Un combat singulier ! Le jugement de Dieu ! Le jugement de Dieu !

– Messire, souffle le Borgne, face à ce tas de graisse, tu as déjà gagné.

Mais Engibert trouve vite la réplique :

– Je ne veux pas perdre mon âme en tuant un

144

homme qui porte la croix de Dieu. Tout le monde sait que cela vaut l'enfer.

– Puisque tu refuses de te battre, que proposes-tu ?

– Si tu es confronté à Guermande de Cercy et qu'elle te reconnaît, je m'inclinerai.

– J'accepte de revoir cette dame.

Montsauche quitte la salle, suivi des vassaux, manifestement déçus d'une solution aussi pacifique.

– J'ai eu chaud, déclare le Borgne. Tu es bien plus malin que je ne le pensais. Grâce en soit rendue à ton moine !

– Merci, compagnon.

– N'empêche qu'on est toujours dans la gueule du loup. Même s'il a maintenant les dents de Guermande de Cercy.

CHAPITRE XVI

L'abbesse du monastère Saint-Étienne de Nevers ne s'est pas laissé convaincre aisément de permettre, dans ses murs, la confrontation entre Thibault et Guermande de Cercy. Elle savait fort bien pourquoi, huit années plus tôt, on avait confié cette dernière à sa garde, et elle trouvait immoral que ces deux êtres, par qui le scandale était arrivé, se rencontrent de nouveau, au risque de retomber dans le péché.

– Mais, a insisté Engibert de Montsauche sûr de sa victoire, il n'est pas Thibault de Cercy ; il n'y a donc rien à craindre de ce côté.

– Sans doute. Cependant, j'ai promis au sieur Girard de Cercy de garder sa femme hors de tout contact avec le monde extérieur.

– Girard est mort, ma mère.

Le gros homme a semblé méditer un instant sur cette triste évidence. Puis :

– Dites-moi : il versait bien une pension à votre couvent pour les besoins de son épouse ?

– Certes. Deux cents écus l'an.

– Les morts ne sont pas tenus à honorer leur dette, ma mère.

L'abbesse a paru ébranlée par cet argument. L'autre a continué :

– À l'issue de l'entrevue, et lorsque cet imposteur aura été confondu, vous garderez votre pensionnaire, et j'en assumerai les frais.

– Et si, contre toute attente, elle le reconnaissait ?

Ce fut au tour de Thibault d'intervenir :

– Dans ce cas, je libérerai Guermande de la prison où vous la maintenez, mais je continuerai à vous verser la même somme pendant dix ans.

La mère abbesse s'est tournée vers le grand crucifix qui orne le mur, apparemment pour le prendre à témoin de son cas de conscience et pour quêter un conseil. Enfin, elle a fait face à ses interlocuteurs.

– J'accepte. Sachez toutefois que c'est uniquement pour que triomphe la vérité.

Les deux hommes ont franchi la petite porte ouvrant sur une ruelle qui longeait le mur du couvent. Montsauche ne décolérait pas.

– Votre marchandage est indigne du chevalier que vous prétendez être !

– C'est vous qui l'avez souhaité. Et puis, c'est le prix de la vérité, monseigneur.

Le sieur de Montsauche a fait en sorte que la confrontation se présente comme un véritable procès. Thibault a été conduit, désarmé, dans le scriptorium du couvent et prié d'attendre debout, le dos à la grande table de travail. À ses côtés, le Borgne paraît plus mort que vif.

– Sainte Croix, sauvegardez-nous, sauvegardez-nous, murmure-t-il entre ses dents.

Derrière, siégeant comme des juges, le sieur Engibert de Montsauche, la mère abbesse, son chapelain, le prévôt de justice de la cité de Nevers et un clerc qui aiguise ses plumes d'oie.

Aussitôt fermée, la porte a été gardée par deux hommes d'armes. Le guet-apens a été bien mis en place.

Un long instant s'écoule jusqu'à ce que s'ouvre une petite porte au fond de la pièce. Une nonne entre et s'efface pour laisser passer une femme vêtue de la bure des sœurs converses, celles qui sont employées aux tâches ménagères de la congrégation. Malgré l'humilité de son vêtement, son maintien impressionne par sa dignité. Elle s'avance et s'immobilise à quelques pas de Thibault. Longuement, elle le fixe dans les yeux.

En une parcelle infime de temps, le jeune homme voit se succéder sur son visage une suite d'émotions contradictoires. D'abord, une bouleversante déception, suivie d'une flambée de colère, et enfin, comme une espérance.

Il met genou en terre. Sa main droite vient toucher la cicatrice de sa joue et se tend, la paume vers le sol, en direction de la femme. À son doigt, la bague léguée dans les sables d'Anatolie pèse vingt fois son poids. En signe d'abandon à la volonté du sort, il incline la tête comme fait celui qu'on va décapiter.

Une esquisse de sourire apparaît sur le visage de Guermande. Elle avance de deux pas et, de sa main, effleure la tête livrée à sa merci. Sa voix est claire et tranchante :

– Devant le regard de Dieu, je reconnais en cet homme Thibault de Cercy, frère puîné de feu mon époux !

La foudre s'abattant dans la pièce n'aurait pas été d'un moindre effet. Surmontant le choc, Engibert de Montsauche se dresse et hurle :

– Forfaiture ! Trahison ! Cette femme ment !

L'abbesse et le prévôt le contraignent à s'asseoir. Le magistrat se tourne vers Guermande.

– Dame de Cercy, veuillez, je vous prie, répéter les paroles que vous venez de prononcer.

– Il est Thibault de Cercy !

– Voilà qui est dit. Enregistrez, déclare l'homme de loi en se tournant vers le scribe. Dès cet instant, chacun est libre d'aller à sa guise.

Le visage fendu d'un sourire extasié, le Borgne s'autorise un rapide et discret signe de croix.

Il n'a fallu à l'écuyer que quelques instants pour trouver un coche de louage et le faire venir jusque devant le portail du couvent. Sous son escorte et celle de son chevalier, Guermande a regagné le manoir de Cercy. À la manière dont les gardes, les valets et les servantes souriaient pour la saluer, on mesurait l'estime et l'affection que chacun avait ici pour cette femme. Tous connaissaient sans doute son histoire et, visiblement, personne ne songeait à l'en blâmer. Le vieil intendant s'est approché de Thibault, feignant de l'aider à mettre pied à terre.

– Merci, messire, de nous l'avoir rendue… qui que vous soyez. Je vais vous conduire à votre appartement.

Le soir tombe. Thibault va et vient dans cette pièce étrangère, attendant avec anxiété l'entrevue qu'il ne peut manquer d'avoir avec la dame de Cercy. Cette fois, il ne s'agira plus de jouer un rôle, mais d'être lui-même, nu devant la vérité. Car, il le sait bien, à aucun moment cette femme n'a été dupe. Elle a menti délibérément. Pour le sauver ? Pour se sauver elle-même ?

Bien après le souper, le majordome vient à lui. C'est un serviteur habile à dissimuler ses sentiments et, dans son air empressé, rien ne permet d'espérer ou de désespérer.

– Elle demande à vous voir dans son oratoire, messire.

L'oratoire ! Le jeune homme pénètre dans ce lieu secret plus impressionné qu'il ne l'était face à Kilij Arslan. La dame de Cercy a revêtu une de ses anciennes robes, qui met en valeur sa longue silhouette.

– Assieds-toi, dit-elle en indiquant un fauteuil, avant de prendre place elle-même sur un tabouret bas. Tu comprends bien que, dans notre secret, je ne peux pas t'appeler Thibault.

– Bien sûr.

– Comment t'appellerai-je ?

– Mathieu. C'est mon nom de baptême, donné par mon père.

– Bien. Raconte-moi tout, Mathieu.

– Thibault est mort, madame.

– Je le sais. Il y a bien longtemps que je le sais. Raconte !

Alors, il parle, il parle. Sa vie s'écoule hors de ses lèvres, depuis son enfance de serf jusqu'à l'instant présent. Lorsqu'il se tait, Guermande laisse passer un long silence avant de demander :

– Pourquoi es-tu revenu ? Pourquoi as-tu fait cela ? Tu risquais ta tête. Tu veux être seigneur de Cercy ?

– Non. Ma vie n'est pas ici.

– Alors, pourquoi l'as-tu fait ?

– Thibault me l'a demandé, en me donnant son nom.

– Tu l'aimais ?

– Je ne sais pas. Non, je ne crois pas. C'était la première fois qu'on s'adressait à… mon honneur. On dit que les serfs n'ont pas d'honneur, madame. Mais puis-je à mon tour poser une question ?

– Je t'écoute.

– Ce matin, devant Dieu et devant les hommes, vous avez menti. Pas un instant vous n'avez cru que j'étais lui. Pourquoi ce mensonge ? Pour être libérée de votre prison ? Pour redevenir la dame de Cercy ?

– Mon propre sort m'importe peu. J'ai un fils,

Mathieu. Il est né dans le couvent. Mon époux n'a pas voulu le reconnaître. Pour lui, il était un bâtard. On me l'a arraché pour le mettre en nourrice. La mère supérieure sait où il est. Tu peux me le rendre. Il est le véritable seigneur de Cercy.

– Et vous m'accordez votre confiance ?

– Oui. Tu me l'as dit : toi aussi, tu as un fils.

– Je vous rendrai le vôtre. Et il sera seigneur de Cercy.

– Et toi ?

– Acceptez ma présence près de vous et de lui pendant une année, puis je m'en irai, là-bas où on m'attend.

CHAPITRE XVII

L'année s'est écoulée. Thibault réside toujours à Cercy, aux côtés de Guermande et de son fils Arnaud que, d'autorité, il a fait ramener au château. La complicité qui les unit s'est, au fil des jours, teintée d'une timide affection, chacun demeurant sur sa réserve. Toutefois, Thibault doit souvent lutter pour ne pas tomber dans le piège de son propre rôle. Guermande, malgré sa discrétion, est attirante. Quant à Arnaud, il ne demande qu'à se familiariser avec cet homme dont il s'exagère la vie aventureuse.

– Oncle Thibault, a-t-il un jour demandé, tu ne repartiras pas ? Tu ne nous quitteras pas ?

Et Thibault a eu honte de ne pas lui répondre franchement, doutant peut-être de sa propre détermination.

Les gens du château croient, ou feignent de croire, à la bonne foi du nouveau châtelain. Bien sûr, ceux qui ont approché le vrai Thibault ont du mal à le reconnaître, ne serait-ce que dans son comportement.

Tout en gardant ses distances, il sait se montrer plus proche, plus attentif à eux que jamais ne l'a été un de ces nobles hommes qui les côtoient sans les voir. Certains ne sont pas loin d'y deviner l'effet bienfaisant du voyage en Terre sainte. Le vieil intendant entretient cette opinion.

Après quelques visites tonitruantes au château, le sieur de Montsauche ne s'est plus manifesté. Et cela depuis que Thibault s'est rendu à Dijon, auprès du duc de Bourgogne, pour renouveler le serment d'allégeance dû au suzerain. L'accolade que celui-ci lui a donnée en public a scellé définitivement la légitimité du chevalier.

Pendant son bref séjour à la Cour, Thibault a rencontré un noble de Touraine en route vers Constantinople et Jérusalem. Il l'a chargé d'une missive adressée au père Tersissius, qu'il a pris soin de faire écrire en latin par un clerc. En lui donnant de ses nouvelles, il lui demandait de faire son possible pour les transmettre au seigneur de Gargar, auprès duquel étaient sans doute réfugiés sa femme Arda et son fils.

Un instant, il a été saisi de la tentation de ne plus attendre : se joindre à la petite troupe de ce nouveau croisé. Tout abandonner et, de nouveau, fuir, fuir vers le soleil levant. L'appel a été tellement fort qu'il s'en est confié au Borgne, sa conscience.

– Pourquoi ne pas partir, a répondu celui-ci, si tu crois avoir achevé ici ce que tu avais à faire ?

– Et selon maître Jacques, que pourrais-je faire de plus ?

– Je ne sais pas, moi. Par exemple, régler tes comptes, une fois pour toutes, avec Mathieu Boveret. Il vaudrait mieux que tu te débarrasses de lui avant de retourner là-bas. Il suffirait d'une occasion…

L'occasion se présente un mois plus tard. Une patrouille de soldats arrive au château, encadrant deux familles de manants qui, selon eux, erraient en lisière de la forêt. De toute évidence, des serfs fuyant leur tenure. Il est difficile de lire dans leurs regards ce qui l'emporte de la fatigue, de la faim ou de la peur. D'habitude, ce problème est du ressort de l'intendant. Le destin veut que, ce soir-là, Thibault passe à proximité et les remarque. Il comprend immédiatement et se sent saisi d'un vertige. Malgré lui, il se montre brutal.

– Que cherchez-vous ici ?

Le plus jeune des paysans retire son bonnet et baisse le front.

– Nous cherchons miséricorde et sauvegarde, monseigneur. On nous a dit qu'en terre de Bourgogne…

– D'où venez-vous ?

– Du domaine du comte de Vaugremont, en pays de France. Il n'était plus possible d'endurer davantage.

Vaugremont ! Avec une netteté effroyable, Thibault se revoit dans la cour du château, faisant face à l'intendant pour refuser de devenir un valet. Puis il entend la voix de son père : « Il faut t'ensauver, mon garçon. »

– Pourquoi vous êtes-vous enfuis ?

– Sous prétexte que ma femme est née sur une autre paroisse que la mienne, il voulait me séparer de mon frère aîné.

L'homme hésite un moment, avant de poursuivre :

– On nous accusait tous les deux d'être de mauvais sujets.

– C'est-à-dire ?

– Nous nous sommes rebellés à plusieurs reprises contre les gardes-chasse.

Toujours avec la même acuité, Thibault a devant les yeux le corps de Tortegoule gisant dans le ruisseau des Loges.

Il se tourne vers l'intendant qui vient de le rejoindre.

– Qu'on leur fournisse de quoi subsister pendant deux mois et quelques semences. À chacun, une acre de terre, en propriété, dans les friches de Maudette. Droit d'affouage et de piéger dans la forêt. En plus des devoirs de métayage et de corvée communs aux autres manants, ils devront un service armé si nécessaire.

L'intendant demeure sans voix un moment, avant de balbutier :

– Mais… monseigneur, c'est un alleu que vous leur donnez là !

– Oui. Et alors ? Le baron des Coudrets a coutume d'agir ainsi, m'a-t-on dit.

– Certes, mais à Cercy, ça ne s'est jamais fait. Messire Girard ne voulait pas en entendre parler.

Thibault saisit l'homme par le bras.

– Regarde-moi, Erambert. Que crois-tu qu'on apprenne en Terre sainte ? Y vois-tu malice ?

Le vieux serviteur a un sourire timide.

– Bien sûr que non, mais, sauf votre respect, vous avez bien changé, messire. Puis-je demander son accord à dame Guermande ?

– C'est évident.

Les conséquences de cette décision ne se font pas attendre. Un mois ne s'est pas écoulé qu'une troupe d'une dizaine d'hommes se présente à la herse du château et demande à être admise. Celui qui les commande est conduit devant le chevalier de Cercy.

– Je suis l'écuyer major du comte de Vaugremont.

Je suis en quête de deux familles de nos manants qui ont eu l'audace de quitter leur tenure. La rumeur veut qu'elles se soient réfugiées sur vos terres.

– La rumeur dit vrai, sire écuyer. Ces gens sont actuellement sous ma sauvegarde.

– Le droit de poursuite nous autorise à les reprendre et à les remettre à notre justice.

– J'entends bien. Vous n'ignorez pas que vous êtes ici sur le domaine de la seigneurie de Cercy, et qui plus est, en terre d'Empire germanique, et non plus de France.

– À n'en point douter. Cependant, le droit de poursuite ne tient pas compte des frontières. Sinon, qui sait ce que pourraient se permettre les manants ?

Thibault prend le temps de laisser s'apaiser la colère qui bout dans le cœur de Mathieu Boveret. Il entend la voix lointaine de Tersissius qui répète : « Ne te laisse pas aller à ton humeur du moment. Raisonne, mon fils, raisonne. » Calmement, il se lève, pour signifier que l'entretien est terminé.

– L'affaire est de trop d'importance pour qu'un simple écuyer puisse la négocier. Dans les jours qui viennent, je me rendrai moi-même à Vaugremont, afin d'en débattre avec votre maître. Je vous offre l'hospitalité pour cette nuit.

Deux semaines plus tard, après avoir traversé la forêt de Cercy, Thibault chevauche sur les terres d'Auvergne. Sans l'avoir prémédité, il a pris à rebours le chemin de sa fuite, huit ans plus tôt. En parvenant au pont des Loges, il ne peut pas s'empêcher de marquer une halte. Jacques le Borgne descend de cheval et s'avance jusqu'au parapet.

– On l'appelait Tortegoule, pas vrai ?

– Oui.

– Qu'est-ce que je fais ? Une prière, ou je crache dans l'eau ?

– Il ne mérite ni l'un ni l'autre.

– Chevalier, tu fais plaisir à ta conscience. On en a bien fini avec Mathieu Boveret.

– Ce n'est pas encore dit, maître Jacques.

CHAPITRE XVIII

Alors que les chevaux entament la dure rampe qui conduit au pont-levis du château de Vaugremont, l'écuyer jette un coup d'œil inquiet sur son compagnon. Celui-ci a le visage plus tendu qu'il ne l'a jamais été au moment de donner l'assaut à des mahométans.

– Réveille-toi, messire ! C'est un mauvais rêve. Le chevalier de Cercy, baronnet d'Étampes, seigneur de Mélitène, n'est jamais venu ici. Réveille-toi, sacredieu !

Thibault se dresse sur ses étriers, et comme tous le faisaient à l'instant de se ruer sur l'ennemi, il hurle à pleine gorge : « Jérusalem ! » Puis, se tournant vers son écuyer :

– Ça y est, Jacques. Je suis réveillé.

Renaud, le jeune comte de Vaugremont, a succédé à son père depuis peu. D'emblée, il tente de prendre les choses de haut.

– Valait-il la peine, messire Thibault, de vous déranger et de me déranger pour une si mince affaire ? Un serf de plus ou de moins sur mes terres, j'y attache peu d'importance. Mais, voyez-vous, c'est le principe qui compte. Il est hors de question que ces gens puissent aller et venir à leur guise. Vous devez me les rendre, puisqu'ils m'appartiennent.

– Et si je m'y refuse ?

– Mon Dieu, il faudrait malheureusement nous affronter.

– Vous voulez dire : vous et moi ?

Vaugremont éclate de rire.

– Bien sûr que non ! Pour une si petite cause, ce serait hors de mesure. Nous avons des soldats pour cela. Il faut bien que, de temps en temps, ils justifient ce qu'ils nous coûtent.

– N'est-il pas excessif de partir en guerre pour deux manants ?

– En guerre ! Comme vous y allez ! Nous ne sommes pas en Palestine. Quelques petites échauffourées et quelques pillages en rase campagne suffiront pour que vous vous lassiez et me rendiez raison.

– Et nous mettrons nos fiefs à feu et à sang.

– Que voulez-vous...

Thibault va se poster devant une des fenêtres de la salle. Ces collines et ces vallons, ces forêts et ces

pâturages de son enfance lui paraissent douloureu-
sement étrangers. Il refait face à son adversaire.

– Qu'en ferez-vous, si vous les reprenez ?

– Eh bien, je crois que je ferai pendre le cadet, qui
est par trop insoumis. Quant à l'autre, je manque de
bras dans mes carrières…

À ce dernier mot, Thibault sent une onde de colère
et de haine le parcourir. Il la maîtrise de son mieux,
interdisant à ses souvenirs de le submerger.

– À combien évaluez-vous le prix d'un serf ?

– Je n'en sais rien. Cela entre dans le prix de la
terre où il se trouve.

– Combien vaut un bœuf de labour ?

– Mon Dieu, si j'en crois mon intendant : deux
à trois cents deniers, selon la qualité.

– Je vous achète chacun des deux manants pour
le prix d'un bœuf ; et leur famille avec eux.

Vaugremont a tout d'abord une lueur d'incom-
préhension dans le regard.

– Acheter des serfs ! Cela se fait peut-être chez
les infidèles, mais en pays chrétien ! Si Dieu vous
entend…

– Laissons Dieu en dehors de cela. Ce n'est pas
le bien qu'ils représentent que je vous achète, mais
la vie de l'un et la liberté de l'autre. Marché conclu ?

Le comte continue visiblement à ne pas comprendre les propos qu'on lui tient, mais soit qu'il aime l'argent, soit qu'il en ait un besoin urgent, il cède.

– Marché conclu. On m'a dit que ceux qui partent à la croisade en reviennent l'esprit dérangé. J'en suis maintenant convaincu. Devient-on si facilement riche en Terre sainte ?

– Rien ne vous empêche d'aller vous en assurer, messire comte. Mon écuyer va remettre la somme à votre intendant. Pour le reste, votre parole me suffit.

Étrier contre étrier, Thibault et son compagnon redescendent dans la vallée. À la croisée de deux chemins, le chevalier arrête sa monture, indécis. D'autorité, le Borgne se met en travers et saisit la bride.

– Je sais ce qui te tourmente, Cercy. J'ai interrogé l'intendant, puisque tu ne pouvais pas le faire. Je sais où va ce chemin ; il ne te mènera plus nulle part.

– Eh bien, vas-y, parle !

– Je te préviens : ce que je vais te dire va te faire plus mal que mon coup de gourdin. Voilà : ils ont failli pendre ton père, à cause du garde-chasse. Ils se sont contentés de lui reprendre les bœufs. Son mal de vessie a empiré, il est mort deux ans plus tard. On ne sait pas ce qu'est devenue ta mère ; il paraît qu'avant même la mort du vieux elle avait perdu la tête.

– Et Mathilde, ma sœur ?

– Je n'ai pas songé à m'enquérir d'elle. J'aurais dû, mais…

– Bien sûr que tu l'as fait. Tu n'es pas capable de mentir, mon pauvre vieux. Parle !

Le Borgne est au supplice, mais son habitude de l'obéissance l'emporte.

– Ils l'ont prise aux cuisines du château, comme servante. Tu sais comment sont ces gens-là… Quand elle a su qu'elle attendait un enfant d'un quelconque palefrenier, elle… elle s'est jetée dans les douves.

Fiévreusement, Thibault fouille dans sa bourse et en retire la petite croix de buis que Mathilde avait détachée de son cou et lui avait donnée le jour de sa fuite. La même croix que Madeleine avait sauvegardée pendant la croisade et lui avait rendue. Le poing serré sur l'humble objet, il fait volter son cheval d'un coup de rêne brutal.

– Suis-moi. Je vais laisser cette croix sur sa tombe.

Le Borgne pousse un soupir désespéré.

– Tu n'as plus ta raison, chevalier. Les gens qui se sont donné la mort n'ont pas de place au cimetière des bons chrétiens. On les enterre dans un trou, quelque part, comme des chiens. Rentrons à Cercy. Tu n'as plus rien à faire ici.

Vaincu, Thibault se laisse entraîner. Le mot favori du père Tersissius l'obsède : « Le destin, mon fils. »

Après des nuits d'insomnie et des journées passées à errer sans but aux alentours du château, Thibault trouve son ultime refuge dans l'oratoire de Guermande. Celle-ci l'y découvre debout et immobile, les yeux fixés sur le grand crucifix qui orne l'un des murs. Au bruit de ses pas, il se retourne.

– Je voudrais pouvoir prier, mais il y a bien longtemps que je ne sais plus le faire.

– À défaut de prier, tu peux te confier à moi, Mathieu. Ne prends pas la peine de me raconter ce que tu as appris à Vaugremont. Jacques le Borgne devait avoir bien du chagrin pour toi pour qu'il ose venir me parler, quitte à trahir ton secret.

– Tout cela est ma faute, n'est-ce pas ? Il aurait suffi que j'accepte d'être valet d'écurie ma vie entière, et je ne porterais pas cette peine.

– Comme il aurait fallu que j'accepte d'être nonne ma vie entière, et de ne pas connaître mon fils, pour ne pas subir le fardeau de mon mensonge. Nous avons osé dire « non », Mathieu, cela coûte cher.

Laisse à Dieu le choix de fixer le prix.

Thibault s'agenouille devant la dame de Cercy, saisit sa main et y pose ses lèvres. D'un mouvement précautionneux, elle la lui retire et effleure la joue balafrée.

– Mathieu ! Notre force, à toi et à moi, est de savoir dire non à ce qui peut paraître tellement simple, tellement évident. Écoute-moi. Je te le dis la mort dans l'âme : il est temps que tu t'en ailles. Thibault de Cercy, celui que tu es devenu, se doit d'être là-bas, face au désert dont tu m'as si bien parlé, face aux mahométans que tu respectes. Près de ta femme et de ton fils, que tu aimes. Va-t'en !

Thibault se relève comme sous un coup de fouet.

– Pardonnez-moi, madame. Il est des moments où je ne sais plus qui je suis.

Il entrouvre le col de son pourpoint et, d'un coup sec, brise la chaîne qui retient le petit crucifix de buis.

– Je voudrais vous le confier. Vous seule…

– Non, Mathieu. Je n'ai pas le pouvoir de remettre les fautes. C'est ta croix. Porte-la !

ÉPILOGUE

Thibault de Cercy et son écuyer ne se sont pas attardés à Constantinople. Dès le lendemain de leur arrivée, ils ont embarqué pour Alexandrette. Toutefois, c'est en compagnie du père Tersissius qu'ils y accostent.

Pour prendre sa décision aussi vite, il fallait que le vieux moine l'ait préméditée.

– En fait, a-t-il expliqué, je ne suis pas un sédentaire. Ma vieille carcasse ne peut pas demeurer trop longtemps en un même lieu. Je commençais à m'ennuyer à Constantinople autant que je m'ennuyais à Cluny, en Bourgogne.

– N'empêche, a objecté le Borgne, il se pourrait bien que votre vieille carcasse, comme vous dites, laisse ses os sur les bords de l'Euphrate. Mélitène, c'est loin.

– Tais-toi, bon à rien ! Tu mourras avant moi sous le poids de ta bedaine.

Malgré le plaisir qu'il éprouve à avoir le moine à ses côtés, Thibault a insisté :

– Mon père, que pourrez-vous trouver à Mélitène qui mérite votre savoir et votre sagesse ?

– Quel âge a ton fils, mon garçon ?

– Il aura bientôt quatre ans.

– Quatre ans ! Et qui prend soin de son éducation ?

– Je suppose que sa mère…

Le moine a affiché un air consterné qui en disait long sur ce qu'il pensait de la compétence des femmes en matière d'éducation. Il s'est gardé de tout commentaire, mais sa réplique a été sans appel :

– Thibault, je reconnais que tu as fait de grands progrès dans tous les domaines ; mais tu ne seras jamais qu'un serf mal dégrossi, tout juste bon à faire un chevalier. Si tu me le confies, le futur seigneur de Mélitène sera l'homme le plus accompli des terres du Levant.

À petites étapes, pour ne pas fatiguer le vieux sage, et malgré l'impatience de son écuyer, le chevalier remonte le cours de l'Euphrate. Sur les berges du fleuve, la vie est inchangée. Les Francs en ont chassé les Turcs, cependant les paysans arméniens et arabes poussent leur araire et manient leur houe avec la même résignation. Les conquérants surviennent et s'en vont. Reste la brume sur le fleuve au petit matin.

Un vent sec, venu du désert, parfume l'air de senteurs sauvages que Thibault respire à pleins poumons. Son émotion est infiniment plus intense que lorsqu'il a revu le ciel d'Auvergne.

– C'est étrange, confie-t-il à Tersissius, je ne doute plus d'être ici chez moi.

Le moine va sans doute se livrer à un commentaire pertinent sur cette déclaration. L'occasion lui en est retirée par l'approche, à leur rencontre, d'une troupe de cavaliers en armes. À leur tête, Thibault ne tarde pas à reconnaître la barbe triomphante du seigneur de Gargar, son beau-père.

Celui-ci, contrairement à son habitude, a le visage grave et soucieux.

– Te voilà enfin, mon fils ! Tu arrives bien tard.

– Arda ! Mathieu ! Il leur est arrivé quelque chose ?

Gargar rejette cette inquiétude d'un geste agacé.

– Que veux-tu qu'il leur soit arrivé ? Ils sont sous ma sauvegarde. Il s'agit de bien autre chose. À deux reprises déjà, les Turcs de Suliq Bey ont assailli Mélitène. Chaque fois, ton connétable, tes hommes et les miens, les habitants mêmes ont vaillamment résisté. Chaque fois, j'ai réussi à les dégager et à faire lâcher prise à ces maudits païens.

– Je vous en serai toujours redevable…

– Attends ! Depuis plus d'un mois, ce suppôt de Satan et de Kilij Arslan fait de nouveau le siège de ta ville. Tes hommes songent à se rendre.

– Et vous n'êtes pas intervenu ?

– Tout le monde se lasse, Thibault. Il n'y avait bientôt plus qu'Arda pour croire à ton retour.

– J'avais fait le serment de ne pas…

– Je sais, je sais. Il n'en demeure pas moins que tu étais parti bien loin.

Le chevalier, en un éclair, redevient le chef de guerre qu'il savait être.

– Constantin, donnez-moi autant de cavaliers et d'archers arméniens que vous le pourrez. Je retourne immédiatement auprès du sire de Samosate pour que ses chevaliers me prêtent main-forte.

Le visage de Gargar s'épanouit de son sourire de carnassier.

– Enfin, Thibault ! Je te retrouve ! J'ai envoyé un message à Mélitène pour leur annoncer ton retour et leur dire de tenir. Mes hommes sont déjà en marche. Au galop, mon fils, si nous ne voulons pas arriver après la bataille ! On se passera de tes chevaliers. Je t'accorde une halte d'une heure à Gargar pour embrasser ta femme et ton fils. On prendra soin de ton moine.

– Assez causé ! crie le Borgne. En avant, sacre-dieu !

Craignant d'être encerclés à leur tour, les Turcs ont levé le siège et se sont rangés en ordre de bataille en amont du fleuve. Ils ont permis ainsi au connétable et à sa garnison affamée de se joindre aux troupes arméniennes.

Face à face, les deux armées s'observent. Seuls le piaffement des chevaux et le cliquetis des armes troublent le silence. Pas une voix ne s'élève. Le temps se fige dans une étrange attente. Même l'ogre de Gargar, si belliqueux de coutume, finit par murmurer :

– Il semble bien que personne n'en ait vraiment envie… Mais ça ne va pas durer longtemps.

Alors, le seigneur de Mélitène retire son heaume, pour le confier, ainsi que sa lance, à son écuyer. Poussant son cheval, il s'engage seul dans la plaine. Il n'a pas avancé de vingt pas qu'un cavalier turc, désarmé lui aussi, vient à sa rencontre. Il est accompagné d'un homme à pied. Dans ce champ clos limité par les deux fronts de troupes, le rempart de la ville et le fleuve, ils ne tardent pas à se rejoindre.

Le Turc porte sa main à son front, sa bouche et sa poitrine. Tenant la bride du cheval, l'interprète

maronite arbore un sourire de bienvenue d'une sin-
cérité désarmante.

– Que mon Dieu soit avec toi, Cercy.

– Que le mien soit avec toi, Suliq Bey.

– Je te laisse Mélitène. Tu l'as gouvernée aussi
bien, mieux peut-être, que je n'ai su le faire. Que me
donnes-tu en échange ?

– Tu sais que je tiens mes serments. Je mettrai
toute ma volonté et tout mon pouvoir pour que, dans
ma ville et sur mes terres, Turcs, Francs et Arméniens
vivent en paix. Je saurai contraindre ceux qui s'y
opposeront, quels qu'ils soient.

– Je t'y aiderai de mon mieux. Tu seras toujours le
bienvenu sous ma tente. N'en déplaise à Kilij Arslan.

Lentement, le Turc met pied à terre et Thibault
fait de même. Les deux hommes s'étreignent dans
une longue accolade. De chacun des deux camps
s'élève une formidable ovation, un cri commun de dé-
livrance. Suliq Bey se penche à l'oreille du chevalier.

– Dis-moi, Cercy, as-tu trouvé ce que tu cherchais
dans ton pays lointain ?

– Oui. Désormais, je sais qui je suis.

– Et veux-tu me le dire ?

– Je suis ce qu'un certain philosophe appelle « un
homme nouveau ». Et c'est à cette terre que je le dois.

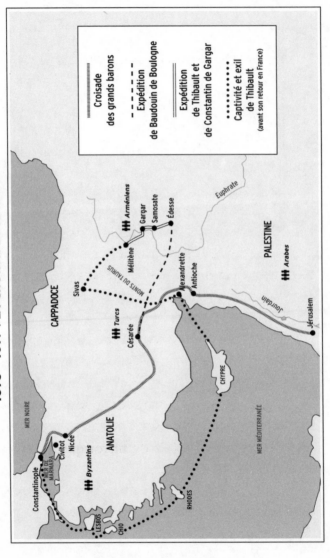

1096 – 1097 : LA CROISADE DES BARONS

Légende :

▨▨▨▨ Croisade des grands barons

– – – – Expédition de Baudouin de Boulogne

═══ Expédition de Thibault et de Constantin de Gargar

•••• Captivité et exil de Thibault (avant son retour en France)

Lieux et régions :

MER NOIRE

MER DE MARMARA

CONSTANTINOPLE

Civitot

Nicée

ANATOLIE

✝✝✝ Byzantins

Césarée

✝✝✝ Turcs

CAPPADOCE

Sivas

MONTS DU TAURUS

Mélitène

Gargar

Samosate

Édesse

✝✝✝ Arméniens

Euphrate

Alexandrette

Antioche

✝✝✝ Arabes

PALESTINE

Jourdain

Jérusalem

MER MÉDITERRANÉE

CHYPRE

RHODES

CHIO

LESBOS

À propos de la croisade des barons

AVERTISSEMENT

L'Épée des puissants, qui fait suite à *La Croix des pauvres*, met en scène une intrigue romanesque dans le contexte historique de la première croisade.

Les personnages principaux (Thibault de Cercy, Tersissius, Turpin d'Étampes, le Borgne) sont de pure fiction. En revanche, les grands barons croisés, les sultans et émirs turcs, le basileus ont bien existé.

Il se peut que parmi eux se soient glissés quelques autres personnages qui ne sont pas, à quelques années près, leurs contemporains. C'est le cas de Constantin de Gargar, de Malik Shah, des Templiers… De même, certains événements du roman ne respectent peut-être pas la chronologie historique à l'année près.

Par ailleurs, des lieux où se situe l'action sont géographiquement identifiables. La carte placée ci-contre permettra de les reconnaître.

Enfin, le vocabulaire, les tournures de phrase, dans les dialogues en particulier, usent d'une langue qui n'est évidemment pas celle du début du XIIe siècle. Il faudra donc accepter les anachronismes inévitables.

LES GRANDS PERSONNAGES
DE LA PREMIÈRE CROISADE

Les initiateurs de la croisade des pauvres

Alexis Ier Comnène : basileus, empereur de Byzance. A profité de la croisade pour reprendre aux Turcs ses territoires d'Asie Mineure. Meurt en 1118.

Gautier Sans Avoir : chevalier, mort dans la débâcle de la croisade des « pauvres gens » à Civitot, en 1098.

Pierre l'Ermite : moine. A prêché la croisade des « pauvres gens », a échappé au massacre de Civitot, a assisté à la prise de Jérusalem, puis est retourné en France. Meurt en 1115.

Urbain II : pape de 1088 à 1099. A initié la première croisade.

Les grands seigneurs

Baudouin Ier de Boulogne : frère cadet de Godefroi de Bouillon. Est devenu comte d'Édesse, puis roi de Jérusalem. Meurt en 1118.

Bohémond Ier : prince normand dont le père, Robert Guiscard, avait conquis la Sicile. Est devenu prince d'Antioche. Meurt en 1111.

Étienne de Blois : frère cadet du roi de France Philippe Ier.

Godefroi de Bouillon : duc de Basse-Lorraine. A été reconnu comme chef de la première croisade. A conquis Jérusalem. A pris le titre d'avoué du Saint-Sépulcre. Meurt en 1100.

Raymond IV de Saint-Gilles : comte de Toulouse. A refusé par deux fois de devenir roi de Jérusalem. Meurt en 1105.

Robert de Courteheuse : duc de Normandie. De retour de la croisade, a perdu son titre de roi d'Angleterre puis de duc de Normandie au profit de son frère Henri Ier. Meurt en 1134.

Tancrède : prince normand de Sicile. Neveu de Bohémond Ier. A gouverné Antioche pendant la captivité de son oncle. A servi de modèle à de nombreux récits de chevalerie. Meurt en 1112.

Les orientaux

Kilij Arslan : sultan turc de Rûn. A perdu les territoires conquis aux Byzantins, dont Nicée, Antioche et Édesse. Meurt en 1106.

Takylos : général byzantin chargé de seconder les croisés, mais surtout de prendre possession des territoires reconquis.

Thoros : curopalate (commandant de la garde) arménien d'Édesse, en fait soumis au gouverneur turc. A adopté Baudouin Ier de Boulogne et lui a donné sa fille en mariage.

Les autres personnages du roman sont imaginaires. Ils représentent ceux dont l'Histoire n'a pas conservé les noms, mais qui ont eux aussi contribué à la croisade.

TABLE DES MATIÈRES

Pierre Davy

Pierre Davy a vécu de longues années hors de son Anjou natal. Quatre ans au Cambodge, dix ans aux Antilles, cinq ans en Éthiopie. Pourquoi ? Parce qu'il le voulait : sans doute. Parce que le hasard des circonstances l'y poussait : peut-être.

Dans ces lointaines contrées, il a appris une chose essentielle : ce que signifie le mot « ailleurs ». Ailleurs, c'est là où rien n'est certain, où tout est possible.

Devenu plus sédentaire, il a compris qu'écrire c'était aussi aller ailleurs, dans l'espace et dans le temps.

Au Moyen Âge, vers la fin du XIe siècle, aussi bien pour les seigneurs que pour les serfs, l'espace était clos, le temps comme arrêté. Puis est survenue la grande folie de la croisade. Ailleurs s'appelait alors Jérusalem.

Ceux qui ont vécu cette aventure en sont-ils devenus pires ou meilleurs qu'ils n'étaient ? Un fait est certain : lorsqu'on va ailleurs, on en revient différent.

Gilles Scheid

Gilles Scheid est né à Metz en 1961. Comme Thibault, il a dû choisir entre plusieurs itinéraires. Un professeur de mathématique particulièrement antipathique l'ayant découragé d'entreprendre des études de médecine, il a choisi de faire des études d'orfèvrerie, bijouterie, joaillerie, puis d'illustration à l'école des Arts Décoratifs de Strasbourg. Il exerce le métier d'illustrateur depuis sa sortie de cette école et enseigne le dessin depuis une dizaine d'années.

Ainsi, lorsque les éditions Nathan lui ont confié la réalisation des illustrations de *L'épée des puissants*, devant les nombreuses interrogations de Thibault, il s'est demandé quel poids pouvaient bien avoir nos choix sur notre itinéraire, au regard de celui de l'histoire, et du hasard des rencontres.

Vous avez aimé

L'ÉPÉÉ DES PUISSANTS.

Découvrez, du même auteur,
dans la même collection

Un cheval de liberté
Ill. de Raphaël Gauthey
Aventure (à partir de 12 ans)

Addis-Abeba, Éthiopie. Charlotte, fille du conseiller de l'ambassade de France, aime plus que tout son cheval gris pommelé, Bourboul-hou. C'est grâce à Tamrath Almassou, le jeune intendant, qu'elle l'a découvert.

Or en 1982, la guerre civile fait rage. Char-lotte et son père doivent quitter le pays. Il est impensable, pour la jeune fille, d'abandonner son cheval. Tamrath, quant à lui, refuse d'être enrôlé dans l'armée éthiopienne. Le jeune homme et le cheval entament alors une longue marche à travers le pays. Où trouveront-ils leur liberté ?

... et d'autres romans historiques

La plume de l'ange
LAURE BAZIRE ET FLORE TALAMON
Ill. de Raphaël Gauthey
Histoire (à partir de 12 ans)

1759, Paris. Judith Amelot se passionne pour le métier de son père, imprimeur et libraire. Ce dernier est brutalement emprisonné, sans raison apparente, sur ordre du roi. Pendant son absence, la jeune fille doit assumer seule la responsabilité de l'imprimerie. Désespérée, elle reçoit une bouleversante lettre anonyme qui lui donne le courage de se battre. Mais Judith n'est qu'au début de ses peines… Quelqu'un cherche à anéantir la famille Amelot. Mais qui ? Et pourquoi ?

Le dernier chant de l'Inca
GÉRARD HERZHAFT
Ill. de Gilles Scheid
Histoire (à partir de 12 ans)

Pérou, 1561. L'Empire inca est presque entièrement sous domination espagnole. Huarachi, vieux troubadour-guerrier, fait une halte au village d'Ahuaytambo. Mais les conquistadors espagnols menés par don Fernando envahissent le lieu, menaçant la vie des villageois, et en particulier du jeune Yanawa. Pour les sauver, Huarachi promet à don Fernando de le guider vers le plus grand gisement d'or de tout l'empire. Incas et Espagnols commencent alors un long voyage semé d'embûches, animé par la soif de l'or…

La chanson de Hannah
JEAN-PAUL NOZIÈRE
Ill. de Jacques Ferrandez
et Jean-Christophe Lerouge
Histoire (à partir de 12 ans)

Août 1940. Louis, dix ans, fils d'émigrés polonais, partage sa vie entre les corons, le quartier des mineurs de charbon, et le Café des Amis, tenu par madame Jeanne. Il rend de menus services aux clients du café, qu'il entend parler de la guerre, sans vraiment s'en soucier. Mais avec la défaite française, l'occupant nazi et la police commencent à arrêter les Juifs. Louis apprend alors par son père qu'il est lui-même juif.

N° éditeur : 10151767 – Dépôt légal : août 2009
Imprimé en France par CPI-Hérissey à Évreux (Eure) - N° 111898